Basisvaardigheden Toegepast rekenen voor het HEO

Basisvaardigheden Toegepast rekenen

voor het HEO

G.J.S. Reus

A.F. Mantel

W.E. Groen

Wolters-Noordhoff Groningen | Houten

Ontwerp omslag: AtweeA, Foelke Vos, Groningen
Omslagfotografie: Peter Tahl, Groningen

Wolters-Noordhoff bv voert voor het hoger onderwijs de imprints Wolters-Noordhoff, Stenfert Kroese, Martinus Nijhoff en Vespucci.

Eventuele op- en aanmerkingen over deze of andere uitgaven kunt u richten aan: Wolters-Noordhoff bv, Afdeling Hoger Onderwijs, Antwoordnummer 13, 9700 VB Groningen, e-mail: info@wolters.nl

0 1 2 3 4 5 / 11 10 09 08 07

ISBN 978-90-01-85012-8
NUR 123

Voorwoord

Binnen de economie wordt regelmatig een beroep gedaan op de wiskunde. Afhankelijk van je vooropleiding en eigen interesse maakt dit de uitdaging om zelf inzicht te krijgen in economische wetmatigheden groter.
Met dit boek kun je zelfstandig je wiskundige vaardigheden op peil brengen.

De keuze van de onderwerpen is gericht op de behoeften van de doelgroep: eerstejaarsstudenten aan opleidingen in het hoger economisch onderwijs. De paragrafen hebben hierdoor de ene keer een typisch wiskundig probleem en de andere keer een concrete economische toepassing als uitgangspunt. Bij de presentatie van de leerstof is als uitgangspunt gekozen dat de student in principe zelf in staat moet zijn zich de theorie eigen te maken. De structuur is daarom steeds dezelfde: op de linkerpagina de theoretische achtergrond met voorbeeld en op de rechterpagina opgaven om de opgefriste kennis zelfstandig te oefenen en te toetsen.

De opgaven zijn zo veel mogelijk binnen een economische context geplaatst. Zo zie je de samenhang tussen wiskunde en economie sneller dan tijdens je vooropleiding. De wiskunde staat namelijk zo veel mogelijk in dienst van de toepassingen binnen de economie. Achter in het boek staan de antwoorden van de opgaven. Op de cd-rom staan de uitgebreide uitwerkingen van de opgaven. Zo kun je controleren of de door jou gekozen aanpak de juiste is geweest.

Op de website en de bijbehorende cd-rom vind je een instaptoets. Met deze instaptoets krijg je vooraf een beeld van je eigen kwaliteiten. De toets heeft dezelfde hoofdstukopbouw als het boek. Aan het eind van de toets krijg je per hoofdstuk een overzicht van je prestaties. Zo kun je snel zien welke onderdelen je in ieder geval goed moet bestuderen.

Je kunt nog verder oefenen met de extra opgaven op de cd-rom. Deze hebben dezelfde moeilijkheidsgraad als de opgaven in het boek, maar je krijgt direct te zien of je de opgave goed hebt gemaakt en soms krijg je informatie over de manier waarop je de opgave had kunnen aanpakken.

Elk hoofdstuk op de cd-rom eindigt met een korte diagnostische toets. Hiermee kun je zelf nagaan of je het onderwerp voldoende beheerst.

Wij wensen je veel succes.

De auteurs

Inhoud

1.1 Vier basisbewerkingen

De vier basisbewerkingen van het rekenen zijn optellen, aftrekken, vermenigvuldigen en delen.
Je kunt deze bewerkingen uitvoeren met positieve en negatieve getallen.
Hieronder zie je enkele rekenregels in voorbeelden herhaald.

Voorbeeld 1

$3 + (+5) = 8$ $3 + (-5) = -2$

$3 - (+5) = -2$ $3 - (-5) = +8$

Je ziet dat $3 + (+5) = 8$ op hetzelfde neerkomt als $3 - (-5) = +8$.
Het bijtellen van +5 komt op hetzelfde neer als het aftrekken van –5.
Ook zie je dat het aftrekken van +5 hetzelfde is als het optellen van –5.

Vermenigvuldigen

Bij het vermenigvuldigen gelden de bekende (teken)regels:

$+ \times + = +$ $- \times - = +$ $+ \times - = -$ $- \times + = -$

Voorbeeld 2

$3 \times (+5) = +15$ $3 \times (-5) = -15$

$-3 \times (-5) = +15$ $-3 \times (+5) = -15$.

Meestal schrijf je 15 als je +15 bedoelt. Je laat het plusje dus weg als er geen misverstand kan ontstaan. Twee bewerkingstekens achter elkaar moet je proberen te vermijden. Je gebruikt dan haakjes.
Dus liever $3 \times (-5)$ dan 3×-5

Delen

Voor delen gelden net zulke regels als voor vermenigvuldigen:

$+ : + = +$ $+ : - = -$ $- : - = +$ $- : + = -$

Voorbeeld 3

$15 : (+5) = +3$ $-15 : (-5) = 3$

$15 : (-5) = -3$ $-15 : (+5) = -3$

Opgaven

1 Bereken.

a 64×3
b -64×3
c $64 \times (-3)$
d $-64 \times (-3)$
e $66 : (-3)$
f $-66 : 3$
g $-66 : (-3)$
h $66 : 3$

2 Bereken.

a $-12 - 5$
b $-12 - (-5)$
c $-12 + (-5)$
d $-12 - (+5)$
e $-5 - (-12)$
f $-5 + (-12)$

3 Bereken zo mogelijk.

a $125 : 125$
b $125 : 0$
c $0 : 125$
d $0 : 1$

4 PUCK NV heeft de afgelopen periode de volgende gegevens verzameld voor de belastingdienst:
Omzet € 476 000, waarvan € 76 000 ontvangen aan BTW.
Inkopen € 297 500, waarvan € 47 500 betaald aan BTW.
Bereken welk bedrag aan BTW er aan de belastingdienst moet worden afgedragen.

5 Rebah BV verkoopt badkuipen. In de maand maart zijn er 125 badkuipen verkocht tegen een prijs van € 300 (exclusief BTW).
Bereken de omzet.

6 Christaan staat aan begin van de week € 300 'rood'.
Hij leent voor de boodschappen deze week nog eens € 50.
Hij wint € 10 bij de staatsloterij.
Hoe groot is de schuld van Christiaan aan het einde van de week?

7 De Kramer BV verkoopt laptops. De omzet (exclusief BTW) is € 15 000. Verder is gegeven dat de verkoopprijs per laptop € 750 is.
Bereken de afzet.

8 In de kassa zit aan het einde van de avond € 60 000. Alle kaartjes die verkocht zijn, hadden dezelfde prijs. Er zijn 4 800 kaartjes verkocht.
Bereken de prijs van 1 kaartje.

1.2 De volgorde van de bewerkingen

Als in een rekenopgave verschillende bewerkingen voorkomen, gebruik je de volgende voorrangsregels:
- Optellen en aftrekken doe je in de volgorde waarin ze in de opgave staan.
- Vermenigvuldigen en delen doe je in de volgorde waarin ze in de opgave staan.
- Komen optellen/aftrekken en vermenigvuldigen/delen door elkaar voor, dan gaan vermenigvuldigen/delen voor optellen/aftrekken.

Zo werken ook bijna alle (eenvoudige) rekenmachines.
Een eenvoudig ezelsbruggetje om de volgorde te onthouden is:
'**M**ijnheer **V**an **D**alen **W**acht **O**p **A**ntwoord'. Kort: M, V/D, W, O/A.
Dit geeft aan dat de volgorde is: **M**achtsverheffen, **V**ermenigvuldigen/**D**elen, **W**orteltrekken, **O**ptellen/**A**ftrekken.

Voorbeeld 1
- $20 - 13 + 8 = 7 + 8 = 15$
- $52 : 13 \times 6 = 4 \times 6 = 24$
- $12 + 8 \times 7 = 12 + 56 = 68$

Als je een andere volgorde wilt gebruiken dan de regels voorschrijven, gebruik je haakjes. Wat tussen de haakjes staat, reken je het eerst uit.

Voorbeeld 2
- $48 : 16 \times 3 = 3 \times 3 = 9$ maar $48 : (16 \times 3) = 48 : 48 = 1$

Voorbeeld 3
- Een klusser rekent € 40 voorrijkosten en voor het werk € 30 per uur. Voor 2 uur betaal je dus $40 + 2 \times 30 = 40 + 60 =$ € 100.

- Je koopt 12 flessen bronwater van € 0,75 per stuk.
  Het statiegeld is € 0,35 per fles.
  Je betaalt dus $12 \times (0{,}75 + 0{,}35) = 12 \times 1{,}10 =$ € 13,20.
  Een andere manier van berekenen is:
  $12 \times 0{,}75 + 12 \times 0{,}35 = 9 + 4{,}20 =$ € 13,20.
  Je ziet dus dat
  $12 \times (0{,}75 + 0{,}35) = 12 \times 0{,}75 + 12 \times 0{,}35$.

Opgaven

1 Bereken.

a $1350 + 1350 : 50 =$

b $1350 + (1350 : 50) =$

c $(1350 + 1350) : 50 =$

2 Een rechthoekig grasveld van 17,50 meter bij 50 meter wordt van nieuwe graszoden voorzien. De zoden kosten € 4,50 per vierkante meter. Hoeveel gaat de aanleg van dat grasveld kosten?

3 In een familieverpakking zitten normaal 12 losse zakjes. Tijdens een speciale actie zitten er 2 zakjes extra in iedere familieverpakking. Hoeveel losse zakjes heeft iemand die 8 familieverpakkingen koopt?

4 De normale prijs voor drie pakken vruchtensap is € 1,80. In het kader van de actie 'drie-halen-twee-betalen', wordt er € 0,60 korting gegeven.

a Welk bedrag moet Christiaan afrekenen als hij 12 pakken vruchtensap koopt?

Bob let nooit op acties en koopt zijn gebruikelijke aantal van 8 pakken.

b Welk bedrag moet Bob afrekenen?

5 Voor het behangen van een studentenkamer zijn de muren netjes gemeten. De wanden hebben een oppervlakte van respectievelijk 9 m^2, 6 m^2, 8 m^2 en 5 m^2. Met 1 pakje behangplaksel kun je 7 m^2 behang plakken.
Hoeveel pakjes behangplaksel zijn er nodig?

6 Bereken.

a $7{,}5 \times 8 + 12{,}5 \times 8$

b $15 \times 15 \times (15 : 15)$

c $0{,}048 : 16$

d $99 \times 53 + 53$

e $64 : (8 \times 8)$

f $1{,}3 + 0{,}11 - (0{,}14 - 0{,}18) + 2{,}8$

g $(1000 - 49) - 51$

h $8 : 4 \times 8 : 4$

7 Bereken.

a $100\,000 - 10$

b $100\,000 - 100$

c 1000×1000

d $100\,000 : 1000$

1.2 Breuken

Teller en noemer

In de breuk $\frac{2}{7}$ is 2 de teller en 7 de noemer.
Wat boven de breukstreep staat, heet de *teller* en wat onder de breukstreep staat, heet de noemer. Dus $breuk = \dfrac{teller}{noemer}$.

Negatieve en positieve breuken

Net als bij delen geldt voor breuken $\frac{+}{+} = \frac{-}{-} = +$ en $\frac{+}{-} = \frac{-}{+} = -$.

Voorbeeld 1

- $\frac{-2}{3} = \frac{2}{-3} = -\frac{2}{3}$
- $\frac{-3}{-19} = \frac{3}{19}$

Gelijkwaardige breuken

Als je de teller en de noemer van een breuk met hetzelfde getal vermenigvuldigt of door hetzelfde getal deelt, verandert de waarde van de breuk niet.
Zo kun je breuken **vereenvoudigen** of gelijknamig maken (zie § 1.4321).

Voorbeeld 2

- $\frac{3}{4} = \frac{15}{20}$ (teller en noemer vermenigvuldigen met 5)
- $\frac{-2}{-5} = \frac{-1 \times -2}{-1 \times -5} = \frac{2}{5}$ (teller en noemer vermenigvuldigen met –1)
- $\frac{63}{105} = \frac{9}{15} = \frac{3}{5}$ (teller en noemer eerst delen door 7 en daarna door 3)

Gelijknamige breuken

Breuken met dezelfde noemers heten **gelijknamig**.
Gelijknamige breuken kun je bij elkaar optellen door de tellers bij elkaar op te tellen.
Gelijknamige breuken kun je van elkaar aftrekken door de tellers van elkaar af te trekken.

Voorbeeld 3

- $\frac{9}{13} + \frac{7}{13} = \frac{9+7}{13} = \frac{16}{13} = 1\frac{3}{13}$
- $\frac{5}{13} - \frac{7}{13} = \frac{5-7}{13} = \frac{-2}{13} = -\frac{2}{13}$
- $2\frac{3}{7} + 5\frac{6}{7} = 2 + \frac{3}{7} + 5 + \frac{6}{7} = 7 + \frac{9}{7} = 8\frac{2}{7}$

Opgaven

1 Vul in.

a $\frac{2}{7}=\frac{12}{...}=\frac{...}{28}$

b $\frac{-5}{7}=\frac{...}{-14}=-\frac{15}{...}$

c $\frac{5}{11}=\frac{35}{...}=\frac{...}{99}$

d $\frac{7}{15}=-\frac{...}{30}=-\frac{-28}{...}$

2 Bereken.

a $2\frac{4}{9}+3\frac{11}{18}$

b $2\frac{4}{9}-3\frac{11}{18}$

3 Vereenvoudig.

a $\frac{17}{51}$

b $\frac{-24}{54}$

4 Welke van de volgende beweringen is goed en welke is fout? Geef steeds ook aan waarom de bewering goed of fout is.

a $\frac{2}{3}=\frac{4}{9}$

b $\frac{36}{64}=\frac{9}{16}$

c $\frac{9}{16}=\frac{3}{4}$

d $0,2=\frac{1}{5}$

5 Bereken (schrijf het resultaat als één breuk).

a $\frac{2}{5}-\frac{3}{5}$

b $\frac{5}{9}-\frac{7}{9}-\frac{2}{9}$

c $5\frac{3}{7}-\frac{4}{7}$

d $5\frac{1}{4}-2\frac{3}{4}$

6 Om het succes aan het einde van de tentamenperiode te vieren worden de verschillende kratten bier van een studentenhuis bij elkaar in de keuken gezet.
De bewoner van kamer 1 brengt $2\frac{1}{4}$ kratje in; uit kamer 2 komt $\frac{3}{4}$ kratje; uit kamer 3 komt $1\frac{1}{4}$ kratje en uit kamer 4 komt $\frac{1}{4}$ kratje.
Bereken hoeveel kratjes bier uiteindelijk in de keuken staan.

7 Voor het schilderen van een studentenkamer zijn 5 blikken verf gekocht.
Voor de eerste wand wordt $1\frac{1}{3}$ blik gebruikt, voor de tweede wand $\frac{1}{3}$ blik, voor de derde wand $2\frac{2}{3}$ blik en de vierde wand $\frac{1}{3}$ blik.
Hoeveel blikken verf blijven er aan einde van de schilderwerkzaamheden over?

1.4 Rekenen met breuken

Breuken gelijknamig maken

Om breuken bij elkaar op te tellen of van elkaar af te trekken, maak je ze eerst gelijknamig. Dat kan door de noemers met elkaar te vermenigvuldigen. Om de waarde van de breuk niet te veranderen, vermenigvuldig je de teller met hetzelfde getal als de noemer.

Voorbeeld 1

- $\frac{4}{7}+\frac{5}{8}=\frac{4\times8}{7\times8}+\frac{7\times5}{7\times8}=\frac{32}{56}+\frac{35}{56}=\frac{67}{56}=1\frac{11}{56}$
- $\frac{7}{9}-\frac{3}{7}=\frac{7\times7}{9\times7}-\frac{9\times3}{9\times7}=\frac{49}{63}-\frac{27}{63}=\frac{22}{63}$

Twee breuken met elkaar vermenigvuldigen

Om twee breuken met elkaar te vermenigvuldigen, vermenigvuldig je de tellers met elkaar en vermenigvuldig je ook de noemers met elkaar.

Voorbeeld 2

- $\frac{3}{5}\times\frac{4}{9}=\frac{12}{45}=\frac{4}{15}$
- $4\times\frac{3}{11}=\frac{4}{1}\times\frac{3}{11}=\frac{12}{11}=1\frac{1}{11}$

Delen door een breuk

Delen door een breuk is hetzelfde als vermenigvuldigen met het omgekeerde van die breuk.
Dat betekent: delen door $\frac{3}{4}$ is hetzelfde als vermenigvuldigen met $\frac{4}{3}$.

Voorbeeld 3

- $\frac{5}{\frac{3}{4}}=5\times\frac{4}{3}=\frac{5}{1}\times\frac{4}{3}=\frac{20}{3}=6\frac{2}{3}$
- $\frac{\frac{2}{13}}{\frac{1}{3}}=\frac{2}{13}\times\frac{3}{1}=\frac{6}{13}$
- $\frac{7}{13}:4=\frac{7}{13}:\frac{4}{1}=\frac{7}{13}\times\frac{1}{4}=\frac{7}{52}$
  (delen door 4 is dus hetzelfde als vermenigvuldigen met $\frac{1}{4}$)
- $3\frac{1}{4}:2\frac{1}{2}=\frac{13}{4}:\frac{5}{2}=\frac{13}{4}\times\frac{2}{5}=\frac{26}{20}=\frac{13}{10}=1{,}3$

Opgaven

1 Bereken (schrijf het resultaat als één breuk).

a $\frac{1}{5}+\frac{3}{7}$

b $3\frac{2}{9}+\frac{1}{3}$

c $4\frac{5}{12}-2\frac{3}{4}$

d $\frac{3}{5}-\frac{2}{15}+\frac{4}{9}$

2 Bereken (en schrijf zo eenvoudig mogelijk).

a $\frac{2}{5}\times\frac{4}{7}$

b $\frac{3}{7}:\frac{3}{4}$

c $\frac{7}{8}:\frac{2}{5}$

d $\frac{8}{5}\times\frac{5}{4}$

3 Bereken (en schrijf zo eenvoudig mogelijk).

a $2\frac{2}{3}\times 3\frac{3}{5}$

b $4\frac{2}{3}\times 7\frac{3}{5}$

c $2\frac{2}{3}:3\frac{3}{5}$

d $4\frac{2}{3}:7\frac{3}{5}$

4 Van een bedrijf bedraagt de winst voordat belasting is afgedragen € 10 000. Deze winst wordt als volgt verdeeld:
$\frac{1}{4}$ gaat naar de belastingdienst; van het bedrag dat overblijft, gaat de helft naar de aandeelhouders als dividend; $\frac{1}{3}$ gaat als extra beloning naar werknemers.
Het bedrag dat nog over is, wordt toegevoegd aan de algemene reserves.
Geef de winstverdeling in euro's.

5 Om van de forensengemeente F naar de stad G te komen, kun je drie routes kiezen. De hoofdroute wordt door $\frac{4}{7}$ deel van de reizigers genomen; $\frac{1}{3}$ deel van de reizigers kiest de sluiproute S1. De rest van de reizigers kiest sluiproute S2.

a Welke gedeelte van de reizigers kiest sluiproute S2?

b Dagelijks reizen ongeveer 4200 personen van F naar G.
Hoeveel van deze mensen kiezen sluiproute S2?

6 In de buurt van Lobith komt de Rijn Nederland binnen.
Bij Pannerden splitst de Waal zich van de Rijn af; $\frac{2}{3}$ deel van het Rijnwater stroomt daar de Waal in.
Verder stroomafwaarts langs de Rijn splitst de IJssel zich van de Rijn af; $\frac{1}{4}$ deel van het Rijnwater dat nog over was, stroomt dan de IJssel in.
Welk deel van het Rijnwater dat Nederland binnenstroomt, komt uiteindelijk in de IJssel terecht?

1.5 Afronden

Voorbeeld 1
- In 2006 waren ongeveer 275 000 mensen werkloos.
- De omzet van een bedrijf is 650 000 euro.

Bij afronden geef je aan op welke decimaal (honderdtallen, tientallen, helen, tienden, honderdsten) je afrondt.
Bij **meetgetallen** (dat zijn uitkomsten van metingen) noem je de maateenheid waarin je werkt.

Voorbeeld 2
- 364 afronden op honderdtallen wordt 400;
- 364 afronden op tientallen wordt 360;
- 8 423 gram afronden op kilogrammen wordt 8 kg.

Afspraken

Bij afronden kies je het getal dat het dichtst ligt bij het af te ronden getal. Als het getal precies midden tussen de afrondingswaarden ligt, kies je de grootste afrondingswaarde.
Je kijkt altijd maar één decimaal verder dan het aantal decimalen waarop je wilt afronden.
Als je een rekenmachine gebruikt, is het verstandig om niet tussentijds af te ronden. Laat de tussenberekeningen onderweg zo veel mogelijk op je rekenmachine staan.

Voorbeeld 3
- 5,5 afronden op een heel getal wordt 6;
- 5,49 afronden op een heel getal wordt 5, want je kijkt alleen maar naar de 4.
  Let op: het is fout om twee stappen te nemen door 5,49 eerst af te ronden tot 5,5 en dat weer af te ronden tot 6. Vooral als het om (rapport)cijfers gaat, zie je deze foute redenering nog wel eens opduiken.
- 72,3476 afronden op twee decimalen geeft 72,35;
  72,3449 afronden op twee decimalen geeft 72,34;
  72,3449 afronden op drie decimalen geeft 72,345;
  72,3982 afronden op twee decimalen geeft 72,40.

Opgaven

1 In veel winkels wordt tegenwoordig afgerond op vijf eurocenten. Gebruik die afronding voor de volgende bedragen:

a € 98,76 **c** € 123,48
b € 123,47 **d** € 95,37

2 Rond af op tientallen.

a € 72,18 **b** € 201,05

3 Rond af op een geheel getal.

a 8,51 **c** 8,49
b 8,50 **d** 8,46

4 Rond het getal 82,86496 af op:

a 3 decimalen **c** 1 decimaal
b 2 decimalen **d** tientallen

5 Op 25, 26 en 27 augustus werd in Amsterdam de Uitmarkt van het jaar 2006 gehouden. Er waren in totaal ongeveer een half miljoen bezoekers.

a Hoeveel bezoekers waren dat gemiddeld per dag? (Rond af op tienduizendtallen.)

b Het grootste aantal bezoekers, ongeveer $\frac{3}{7}$ deel van het totaal, kwam op 26 augustus. Hoeveel waren dat er ongeveer? (Rond weer af op tienduizendtallen.)

6 In de hersenen van een mens worden voortdurend verbindingen gevormd en opgeheven. In de tweede tot de vierde maand na de geboorte worden er ongeveer 100 000 verbindingen per seconde gevormd.
Hoeveel verbindingen zijn dat per week? (Rond af op miljarden.)

7 Een sportdrankflesje heeft een inhoud van 33 cl. De vulmachine maakt gebruik van een reservoir met een inhoud van 450 liter.
Bereken hoeveel sportdrankflesjes volledig gevuld worden.

2 Algebra

2.1 Rekenen met letters

Voorbeeld 1
Een reparatiebedrijf rekent € 20 voorrijkosten en € 50 per uur werk.
Je kunt deze manier van berekenen als volgt in een formule zetten:

Kosten (in €) = 20 + 50 × *aantal uren werk*
Een kortere vorm voor deze formule is: $K = 20 + 50X$.
Hierin is de letter K het symbool voor de kosten en de letter X het symbool voor het aantal uren werk.
Het maalteken kun je weglaten: $50X$ betekent 50 *maal* X.

Letters in de plaats van getallen
In de wiskunde en in vakken die wiskunde gebruiken, geef je getallen (grootheden) vaak weer met letters. Voor het rekenen met letters gelden dezelfde regels als voor het rekenen met getallen.

Haakjes wegwerken
In paragraaf 1.2 zag je dat 12 × (0,75 + 0,35) = 12 × 0,75 + 12 × 0,35.
Wiskundig schrijf je deze eigenschap als
$a \times (b + c) = a \times b + a \times c$. Korter: $a(b + c) = ab + ac$.

Door $a(b + c)$ te veranderen in $ab + ac$ heb je de **haakjes weggewerkt**.

Van het **product** *a maal* $(b + c)$ heb je de **som** *ab plus ac* gemaakt.

Voorbeeld 2
Hieronder zie je voorbeelden van haakjes wegwerken. Steeds wordt een product (vermenigvuldiging) omgezet in een *som* of *verschil* (optelling of aftrekking).
- $2(a+7)=2a+14$
- $-3(a-4b)=-3a+12b$
- $-(p-8q)=-1\cdot(p-8q)=-p+8q$
- $a(a-b)=a^2-ab$
- $(a+b)(a+b)=a(a+b)+b(a+b)=a^2+2ab+b^2$
- $(a-b)(a+b)=a(a-b)-b(a+b)=a^2-b^2$

Opgaven

1 Werk de haakjes weg.

a $5(a+3)$ **c** $p(p^2-3q)$

b $-(a+5)$ **d** $-3(c-2)$

2 Schrijf zonder haakjes.

a $(a+3)(a-3)$ **c** $(2x+5)(x+3)$

b $(x+2)(x+5)$ **d** $(3a+2)(6a+5)$

3 Bereken.

a $(x+5)(x+5)$ **d** $(a+9)(a-9)$

b $(x+5)^2$ **e** $(p-6)(p+6)$

c $(x-4)(x+4)$ **f** $(x+7)^2$

4 Een rechthoekig betegeld terras van 2 meter bij 3 meter wordt uitgebreid met kleine steentjes.
De lengte wordt a meter groter.
De breedte wordt b meter groter.

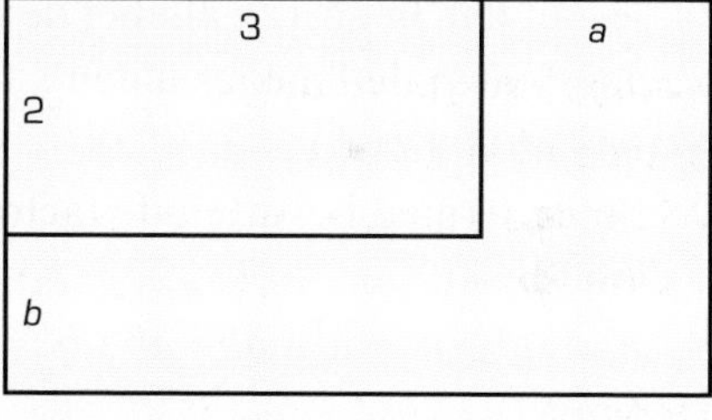

a Leg uit dat voor de oppervlakte van het totaal na de uitbreiding geldt:
Oppervlakte $= (3 + a)(2 + b)$ m².

b Werk in de formule de haakjes achter het gelijkteken weg.

c Het oorspronkelijke terras kostte € 180. De kleine steentjes kosten € 40 per vierkante meter. Welke formule geldt voor de prijs van het totale terras?

5 Een marktkoopman verkoopt leren portemonnees en leren portefeuilles.
Ze kosten allebei € 22 per stuk. Op zaterdag 23 december 2006 verkoopt hij x portemonnees en y portefeuilles.

a Met welke formule kan de koopman zijn omzet O voor die dag berekenen? Geef twee verschillende vormen van deze formule.

b De winst op een portemonnee is € 5 en de winst op een portefeuille is € 7. Geef een formule voor de winst van die zaterdag.

2.2 Ontbinden in factoren

Soms kun je van een **som** of **verschil** (optelling of aftrekking) weer een **product** (vermenigvuldiging) maken. Je gebruikt dan de eigenschappen voor het wegwerken van haakjes in omgekeerde volgorde. Je voert dus weer haakjes in. Dat heet **ontbinden in factoren**.
Ontbinden in factoren kun je soms gebruiken bij het oplossen van vergelijkingen of bij het vereenvoudigen van functievoorschriften.

Voorbeeld 1

- $2a+14=2(a+7)$
  Hier is de gemeenschappelijke factor 2 'buiten de haakjes gehaald'. De naam 'buiten de haakjes halen' is wat vreemd; omdat de haakjes eerst nog moeten worden ingevoerd.
  De *som* $2a$ **plus** 14 is veranderd in het *product* 2 **maal** $(a + 7)$.
- $-3a+12b=-3(a-4b)$
  Je ziet dat $3a$ en $12b$ allebei de factor 3 bevatten. Die factor kun je dus 'buiten de haakjes halen'.
- $a^2-ab=a(a-b)$
  Beide termen bevatten de factor a, zodat je die buiten de haakjes kunt halen.
- $a^2+2ab+b^2=a^2+ab+ab+b^2=a(a+b)+b(a+b)=(a+b)(a+b)=(a+b)^2$
  De beginvorm heet een *kwadratische drieterm*. Je ziet som van de twee kwadraten en daartussen het 'dubbele product'. Het herkennen van deze vorm is nodig om de ontbinding te kunnen maken.
- $a^2-b^2=(a+b)(a-b)$
  Het gaat erom dat je het '**verschil van twee kwadraten**' herkent. De ontbinding moet je dan direct kunnen opschrijven.
- $p^2-81q^2=p^2-(9q)^2=(p+9q)(p-9q)$
  Dit is een toepassing van de vorige regel. Je moet zien dat $81q^2$ het kwadraat is van $9q$. Daaruit volgt de ontbinding.

Let op

De tweeterm p^2+25 kun je niet ontbinden.
Denk eraan dat $(p+5)^2 = p^2+10p+25$ en **niet** p^2+25.

Opgaven

1 Ontbind in factoren als dat kan.

a $5a+20$

b $8p^2-24p$

c $-5a-15$

d $x^2+8x+16$

e $6-12g$

f a^2-9

g $14a+21b$

h $4x^2-25$

i $-16c+20$

j $a^2+12a+36$

2 De tuin waarvan hiernaast een plattegrond is getekend, bestaat uit vier rechthoekige delen. De totale oppervlakte is $ab + 7a + 5b + 35$ vierkante meter.

a Wat is de lengte en wat is de breedte van de tuin?

b Wat is de ontbinding van de vorm $ab + 7a + 5b + 35$?

3 De vorm $3x + ax = 12$ kun je herleiden tot een vorm waarbij x voor het teken = staat. Dat heet 'het **vrijmaken** van x'.
Eerst ontbind je de linkerkant; er komt $x\,(3 + a) = 12$.

Daarna deel je beide kanten door $3 + a$; er komt dan $x=\dfrac{12}{3+a}$.

Pas deze methode toe bij de volgende vormen.

a Herleid $2x + bx = 15$ tot een vorm die begint met $x = \ldots$

b Herleid $3y + py = 25$ tot een vorm die begint met $y = \ldots$

c Maak q vrij uit $pq + rq = 20$.

d Maak s vrij uit $as + bs = D$

4 De breuk $\dfrac{p^2-4}{p+2}$ kun je vereenvoudigen door de teller te ontbinden.

Je krijgt dan $\dfrac{(p+2)(p-2)}{p+2}=p-2$.

(Teller en noemer allebei gedeeld door p + 2.)
Vereenvoudig op deze manier.

a $\dfrac{x^2-9}{x+3}$ en $\dfrac{x^2-9}{x-3}$ **b** $\dfrac{a^2-16}{a-4}$ en $\dfrac{a^2-16}{a+4}$.

2.3 Een vergelijking opstellen

Er zijn problemen die je kunt oplossen door een **vergelijking op te stellen** en daarna die vergelijking op te lossen.
Voorbeelden van vergelijkingen zijn:
$2x - 5 = 7x + 10$ en $5x + 125 = 700 - 10x$
Een vergelijking heeft een linkerkant en een rechterkant, gescheiden door het teken =. Hierboven staan vergelijkingen **van de eerste graad**. De onbekende x komt in zo'n vergelijking alleen in de eerste macht voor, namelijk x^1 (kortweg als x geschreven). Eerstegraads vergelijkingen heten ook wel **lineaire vergelijkingen**.

Voorbeeld 1
Een reparatiebedrijf rekent € 40,- voorrijkosten en daarnaast per kwartier € 20, - arbeidsloon. Voor de totale kosten (TK) voor een werk van X uur geldt dan $TK = 40 + 4 \times 20 \times X$.
Als je wilt uitrekenen hoe lang er is gewerkt voor een klus die € 240 kost, vervang je TK door 240. Je krijgt dan de **vergelijking**:
$240 = 40 + 4 \times 20 \times X$. Hieruit kun je de onbekende X (het aantal uren dat er gewerkt is) oplossen. In de volgende paragraaf vind je een oplossingsmethode voor dit soort vergelijkingen.

Voorbeeld 2
Anouk heeft een auto die op diesel rijdt. Bea rijdt in een benzineauto. Ze willen uitrekenen hoeveel kilometer ze per jaar moeten rijden om evenveel aan hun auto kwijt te zijn. Ze kijken alleen naar de wegenbelasting en de brandstof.
Anouk zegt: een jaar wegenbelasting kost mij € 1200. Voor elke gereden kilometer ben ik € 0,07 aan brandstof kwijt. Als ik X kilometer per jaar rijd, zijn mijn jaarkosten $1200 + 0{,}07X$ euro.
Voor de auto van Bea geldt: een jaar wegenbelasting kost € 475.
De brandstofkosten per kilometer zijn € 0,12.
Voor X kilometer per jaar zijn voor Bea de kosten: $475 + 0{,}12X$ euro.

Om uit te rekenen bij welke waarde van X Anouk en Bea gelijke jaarkosten hebben, stellen ze de kosten aan elkaar gelijk.
Ze krijgen de **vergelijking**: $1200 + 0{,}07X = 475 + 0{,}12X$.
Hieruit kunnen ze de onbekende X (het aantal gereden kilometers) oplossen.

Opgaven

1 Controleer door in te vullen dat de vergelijking $240 = 40 + 4 \times 20 \times X$ uit voorbeeld 1 de oplossing $X = 2{,}5$ heeft.

2 Controleer door in te vullen dat Anouk en Bea bij 14 500 km per jaar even veel kosten hebben.

3 Controleer door in te vullen dat de vergelijking $2x - 5 = 7x + 10$ de oplossing $x = -3$ heeft.

4 Controleer door in te vullen dat de vergelijking $5x + 125 = 470 - 10x$ de oplossing $x = 23$ heeft.

5 Een onderneming verkoopt een product met als prijs € 2.
Stel de formule op voor de waarde van de omzet O.
Gebruik hierbij het symbool Q voor de afzet.

6 Fietsverhuurbedrijf Bicicletta verhuurt fietsen met een vast tarief van € 20 per dag. Voor elke huurovereenkomst met het bedrijf betaalt de consument een vast bedrag van € 5.
Stel een formule op voor de totale kosten TK voor het huren van een fiets voor X dagen.

7 Jan maakt een fietstocht; hij rijdt met een snelheid van 15 kilometer per uur. Kees jogt langs dezelfde weg; hij loopt met een snelheid van 7 kilometer per uur. Bij de start heeft Kees een voorsprong van 10 kilometer. Ze starten op hetzelfde ogenblik.

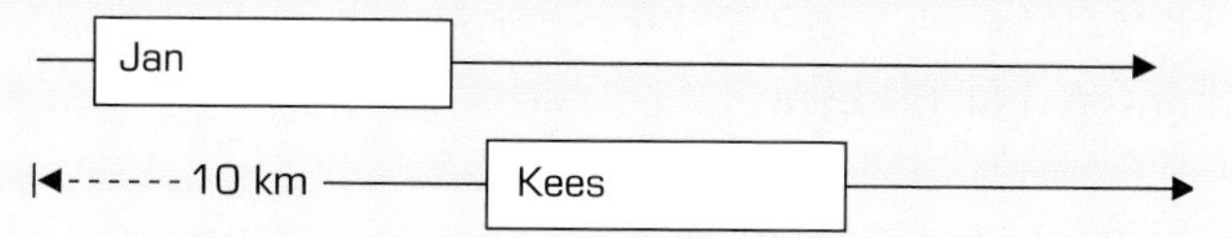

a Voor Jan is na t uur de afstand S_j tot het startpunt $S_j = 15t$ kilometer. Leg dat uit.

b Voor Kees is na t uur de afstand S_k tot het startpunt van Jan $S_k = 10 + 7t$. Leg dat uit.

c Met welke vergelijking kun je berekenen op welk moment Jan de joggende Kees heeft ingehaald. Na hoeveel minuten is dat het geval?

2.4 Eerstegraads vergelijkingen oplossen

$5x - 200 = 3x + 400$ is een voorbeeld van een **eerstegraads vergelijking**. De **oplossing** is de waarde van x die de vergelijking kloppend maakt.

Om een eerstegraads vergelijking op te lossen, werk je de vergelijking om tot de vorm $x = \ldots$

Je kunt dit doen door aan beide kanten dezelfde bewerking toe te passen. Dat betekent: aan beide kanten hetzelfde erbij optellen of van beide kanten hetzelfde aftrekken. Ook beide kanten met hetzelfde vermenigvuldigen of door hetzelfde delen, is toegestaan.

Voorbeeld 1

- Los op $5x - 200 = 3x + 400$.

  Omdat je toewerkt naar $x = \ldots$, ga je van beide kanten $3x$ aftrekken. Daardoor verdwijnt de $3x$ aan de rechterkant.
- $2x - 200 = 400$

  Nu tel je bij beide kanten 200 op.
  Daardoor verdwijnt de –200 die links staat.
- $2x = 600$

  Beide kanten delen door 2.
- $x = 300$.

  Dat is de gezochte oplossing.

Voorbeeld 2

- Los op: $2x + 3 = 10x + 99$.

  Van beide kanten $10x$ aftrekken.
- $-8x + 3 = 99$

  Van beide kanten 3 aftrekken.
- $-8x = 96$

  Beide kanten delen door –8.
- $x = -12$

  De oplossing is gevonden.

Opgaven

1 Los op.

a $a+6=2$

b $3x=x+8$

c $3x+40=50+2x$

d $7x-30=3x+30$

2 Los op.

a $3x-10=20$

b $x+70=100-2x$

c $3x+20=7x-20$

d $9x-40=2x+30$

3 Los op.

a $2-2x=x+17$

b $5+x=10x+50$

c $3x+x=6x+10$

d $5x-8-x=6x+2$

4 Los op.

a $2(2x-10)=3x+5$

b $4(x-8)=3x-7$

c $7(x-10)+2x=8(x-5)-5$

d $3(3x-50)=4(x-10)+15$

5 Een onderneming verkoopt een product voor € 5 per stuk.

a Stel de formule op voor de waarde O van de omzet. Gebruik hierbij het symbool Q voor de afzet.

b De omzet O is € 4585. Welke vergelijking in Q kun je nu opschrijven?

c Los de vergelijking die je bij vraag b hebt gevonden op.

6 Een bedrijf verhuurt fietsen voor € 15 per dag. Voor elke huurovereenkomst met het bedrijf betaalt de consument € 3,50.

a Stel een formule op voor de totale kosten TK voor het huren van een fiets voor X dagen.

b Iemand moet voor het huren van een fiets € 78,50 betalen. Welke vergelijking in X kun je nu opschrijven?

c Los de vergelijking die je bij vraag b hebt gevonden op.

7 Een uitlaatservice voor honden rekent € 8 per uur per hond. Per klant worden per week € 2 administratiekosten in rekening gebracht. Elke hond wordt vijf dagen per week gedurende twee uur per dag uitgelaten. De uitlaatservice heeft K klanten, die allemaal één hond hebben.

a Welke formule geldt voor de weekomzet W van de uitlaatservice?

b In week 43 was $W=€\,1148$. Welke vergelijking in K kun je opschrijven?

c Los de gevonden vergelijking op.

Met de cd-rom kun je verder oefenen

2.5 Break-even analyse

Break-even

In de **break-even** situatie is er geen winst, maar ook geen verlies.
Je kunt ook zeggen: de winst is 0.
De *Totale Kosten* zijn dus gelijk aan de *Totale Opbrengsten*.

Voor de *Totale Kosten* geldt:
Totale Kosten = Totale Constante Kosten + Totale Variabele Kosten.
$TK = TCK + \text{Variabele Kosten per product} \times \text{Afzet}.$
$TK = TCK + v \times q$

Voor de *Totale Opbrengsten* geldt:
Totale Opbrengsten = Verkoopprijs × Afzet
$TO = p \times q$

In de break-even-situatie geldt
Totale Kosten = Totale Opbrengsten
$TCK + v \times q = p \times q$

Voorbeeld 1
Een onderneming vervaardigt en verkoopt één type surfplank. De vaste verkoopprijs van een surfplank bedraagt € 625. De *Totale Constante Kosten* zijn € 450 000 per jaar. De *Variabele Kosten* bedragen € 250 per stuk. De ondernemer wil weten bij welke afzet hij geen verlies maakt.
Oplossing
Vul in de formule $TCK + v \times q = p \times q$ in wat gegeven is:
$450000 + 250 \times q = 625 \times q$. Trek van beide kanten $250q$ af.
Je vindt dan $450000 = 375q$. Nu delen door 375 en dan komt er: $q = 1200$.

Er moeten 1200 surfplanken gemaakt en verkocht worden om geen winst maar ook geen verlies te hebben. De Break-Even Afzet is dus 1200 stuks.

Break-even afzet als formule

De break-even afzet kan ook worden berekend met de formule:

$$q = \frac{TCK}{\text{verkoopprijs } pp - \text{variabele kosten } pp}.$$

Hulp bij de afleiding van deze formule vind je in opgave 1 hiernaast.

Opgaven

1 De formule voor de break-even afzet kun je vinden door uit te gaan van de formule $TCK + v \times q = p \times q$.

a Je kunt de formule omwerken tot $p \times q - v \times q = TCK$.
Wat is er gedaan om dit te bereiken?

b Haal nu aan de linkerkant q buiten haakjes. Noteer het resultaat.

c Deel nu beide kanten door $p - v$. Je hebt de formule gevonden.

2 Een onderneming overweegt een nieuw product op de markt te brengen. De vaste loonkosten voor dit product bedragen € 850 000. De overige vaste kosten voor dit product bedragen € 250 000. De variabele kosten per eenheid product zijn € 40. De verkoopprijs (exclusief BTW) bedraagt € 90.
Bereken de break-even afzet.

3 Een museum heeft zich voorgenomen om de prijs van het toegangskaartje te laten afhangen van het break-even punt. Uit ervaringen uit het verleden blijkt dat er 15 000 kaartjes per jaar verkocht worden. Ook voor komend jaar kan hiervan uitgegaan worden.
De vaste kosten van het museum bedragen € 112 500 per jaar en de (begrote) variabele kosten zullen € 75 000 bedragen.
Bereken de prijs van een museumkaartje om het break-even punt te halen.

4 Eke verkoopt 4000 MP3 spelers van een bepaald type tegen een prijs van € 60 per stuk. Zijn variabele kosten bedragen € 35 per stuk. Aan constante kosten heeft hij zijn afschrijvingskosten à € 8000 per jaar en zijn loonkosten à € 54 000 per jaar.
Bereken hoe hoog de totale constante kosten maximaal mogen zijn om geen verlies te draaien.

5 Puck NV fabrikant van bromfietsen overweegt een nieuw model op de markt te brengen. De begrote vaste kosten bedragen € 2,5 miljoen per jaar. De break-even afzet wordt – bij een verkoopprijs per stuk van € 1450 (exclusief BTW) – geschat op 2960 stuks.
Bereken de variabele kosten per stuk in de break-even situatie.

2.6 Eerstegraads ongelijkheden oplossen

$10x + 15 > 7x + 51$ is een voorbeeld van een **eerstegraads ongelijkheid**. De **oplossing** van de ongelijkheid is de verzameling waarden van x die de ongelijkheid kloppend maakt.
Je kunt een **eerstegraads ongelijkheid oplossen** door alle termen met x naar links en alle termen zonder x naar rechts te brengen. Dat kan door aan beide kanten dezelfde bewerking uit te voeren.

Voorbeeld 1

- Los op: $10x + 15 > 7x + 51$.

  Trek van beide kanten $7x$ af.
- $3x + 15 > 51$

  Trek van beide kanten 15 af.
- $3x > 36$

  Deel door 3.
- $x > 12$

  De oplossing bestaat uit alle getallen die groter zijn dan 12.

Negatieve factor

Als je beide kanten met een negatieve factor vermenigvuldigt of door een negatief getal deelt, verandert het ongelijkheidsteken.

Voorbeeld 2

- Los op $-5x < 10$

  Deel door –5. Het teken $<$ verandert in $>$.
- $x > -2$.

  De oplossing bestaat uit alle getallen die groter zijn dan –2. Dus bijvoorbeeld –1, 0, enzovoort. Je kunt dit controleren door in te vullen.

Voorbeeld 3

- Los op $2(x-5) > 4(x-3) - 2x$

  Eerst zo veel mogelijk vereenvoudigen.
- $2x - 10 > 2x - 12$

  Van beide kanten $2x$ aftrekken.
- $-10 > -12$

  Dit klopt. Dat betekent dat de oplossing van deze ongelijkheid uit alle getallen bestaat. Elk getal dat je invult klopt.

Opgaven

1 Los op.

a $x+12 \geq 20$

b $6x < 11+5x$

c $x-10 > 10$

d $4x-1 \geq 6-3x$

e $10-x > 25-6x$

f $x+2 < x-1$

2 Los op.

a $x+5 > 11+4x$

b $2-x \leq 14+2x$

c $5-3x \leq 1-x$

d $5-x \geq 3-x$

e $x-1 > 12x-12$

f $3x+7 \geq 9+x$

3 Los op.

a $4x+1 \leq 3+5x$

b $5(3x-7) \leq 4(3x-2)$

c $5(2x+4) \geq 7(4x+8)$

d $7(x+1) > 3(2+x)+4x$

e $5(a-1) \leq 3(3+2a)+2(a-1)$

f $(x-3)+x \geq 3(3-x)$

4 Van de rechthoekige tuin waarvan je hiernaast een plattegrond ziet, is de lengte 10 meter en de breedte $(2 + a)$ meter. Het rechthoekige terras is 7 meter lang en a meter breed. In de figuur zijn de andere afmetingen ook gegeven. De oppervlakte van het terras is groter dan de helft van de totale oppervlakte van de tuin.

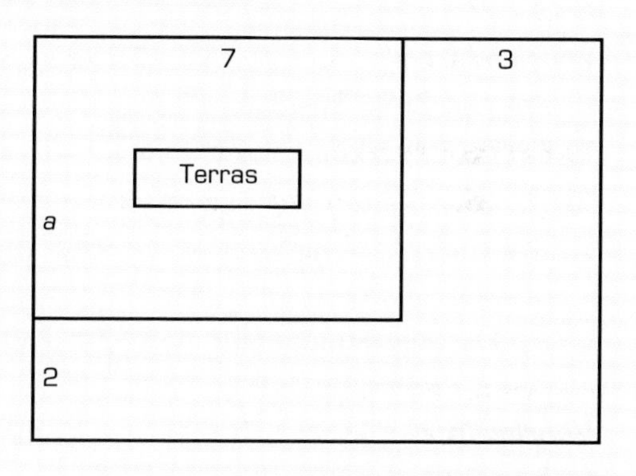

a Welke ongelijkheid kun je met de gegevens hierboven opstellen?

b Los de ongelijkheid op.

c Wat volgt uit de oplossing voor de breedte van het terras?

2.7 Tweedegraads vergelijkingen oplossen

Voorbeelden van tweedegraads vergelijkingen zijn:

$p^2 = 25$ $\quad$ $3x^2 + 1 = 4x$

$p^2 + p = 20$ $\quad$ $2s^2 = 3s$

In een tweedegraads vergelijking komt de onbekende in de tweede macht voor. Ook lagere machten van de onbekende kunnen voorkomen.

Voor het oplossen van tweedegraads vergelijkingen gebruik je de ***abc*-formule**:

Van $ax^2 + bx + c = 0$ zijn de oplossingen: $x_{1,2} = \dfrac{-b \pm \sqrt{b^2 - 4ac}}{2a}$

Om de *abc*-formule te kunnen gebruiken, schrijf je eerst de vergelijking in de vorm $ax^2 + bx + c = 0$.

Voorbeeld 1

- Los op: $2x^2 = 7x - 3$.

  Eerst omwerken tot $2x^2 - 7x + 3 = 0$. Hierin is $a = 2$; $b = -7$ en $c = 3$.

  $$x_{1,2} = \frac{-(-7) \pm \sqrt{(-7)^2 - 4 \times 2 \times 3}}{2 \times 2} = \frac{7 \pm \sqrt{25}}{4} = \frac{7 \pm 5}{4}$$

  De oplossingen zijn: $x_1 = \frac{12}{4} = 3$ en $x_2 = \frac{2}{4} = 0{,}5$.

Voorbeeld 2

- Los op $4y^2 + 12y = -9$

  In de goede vorm schrijven.
- $4y^2 + 12y + 9 = 0$

  De *abc*-formule toepassen; $a = 4$; $b = 12$ en $c = 9$.
- $y_{1,2} = \dfrac{-12 \pm \sqrt{12^2 - 4 \times 4 \times 9}}{2 \times 4} = \dfrac{-12 \pm 0}{8} = -1{,}5$

  Omdat de vorm onder de wortel (de **discriminant**) 0 is, komt er maar één getal als oplossing uit. Als de discriminant kleiner is dan 0, heeft de vergelijking geen oplossingen.

Opgaven

1 Los op.

a $x^2+4x-5=0$
b $x^2+4x-12=0$
c $2x^2-x=10$
d $x^2=4x+5$
e $-p^2=-54+3p$
f $5k=2k^2-3$
g $-3a^2=4-8a$
h $5s^2=30+19s$

2 Los op, indien mogelijk.

a $x^2+4x+4=0$
b $9x^2+6x=-1$
c $x^2+3x+3=0$
d $20x+3=7x^2$
e $11t=5t^2-36$
f $8p=5p^2+3$
g $3s^2-8s+12=2s^2$
h $a^2=4a-13$

3 Op de plaatselijke markt verkoopt de Spakenburgse Viskoning tongfilet voor € 10 per kilo. Bij die prijs is de dagafzet 90 kilo. Door de prijs met *a* euro per kilo te verlagen, stijgt de dagafzet tot 90 +12*a* kilo.

a Verklaar dat de dag**om**zet *O* kan worden berekend met de formule $O=(10-a)\times(90+12a)$ euro.

b Reken uit dat deze formule kan worden omgewerkt tot $O=-12a^2+30a+900$.

c Hoe kun je aan deze formule zien dat bij een prijs van € 10 de dagomzet € 900 bedraagt?

d Op woensdag 20 december 2006 heeft de Viskoning een dagomzet van € 918. Welke vergelijking kun je met dit gegeven en de formule $O=-12a^2+30a+900$ maken?

e Los de vergelijking die je bij vraag d hebt gemaakt op. Gebruik daarbij de *abc*-formule.

f Voor welke prijs heeft de Viskoning op 20-12-2006 zijn tongfilet verkocht?

3.1 Vergelijking van een lijn

Voorbeeld 1

De vergelijking $y = \frac{1}{2}x + 3$ kun je op vele manieren kloppend maken.
De mogelijke 'oplossingen' x en y kun je in een tabel zetten:

x	−2	0	2	4	6....
y	2	3	4	5	6....

De bij elkaar passende waarden van x en y kun je opvatten als coördinaten van punten.
Je krijgt dan de punten (–2, 2); (0, 3); (2, 4); (4, 5); (6, 6); enzovoort.
Teken je deze punten in een assenstelsel, dan zie je dat al deze punten op een rechte lijn liggen.

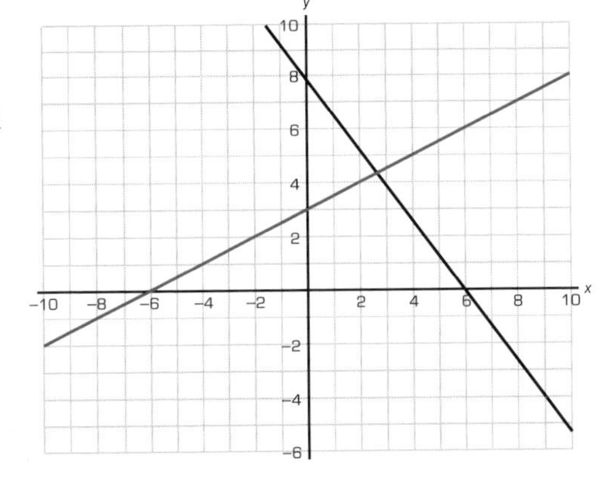

Je zegt daarom: de vergelijking $y = \frac{1}{2}x + 3$ stelt een lijn voor.
Ook de vergelijking $4x + 3y = 24$ stelt een lijn voor.
Beide lijnen zijn in de figuur hiernaast getekend.

Elke **lineaire** (eerstegraads) vergelijking stelt een lijn voor.
Je kunt de **vergelijking** van een lijn op twee manieren opschrijven.
De vergelijking $y = \frac{1}{2}x + 3$ heeft de vorm $y = ax + b$.
Je kunt deze vergelijking omwerken tot $-x + 2y = 6$.
Deze vergelijking heeft de vorm $mx + ny = k$.
De vorm $y = ax + b$ heeft het voordeel dat je de richtingscoëfficiënt (a) direct kunt aflezen. Ook het snijpunt met de verticale as (0, b) is direct te zien.

Voorbeeld 2

Om de lijn $y = 0{,}5x + 2$ te tekenen, reken je van twee punten de coördinaten uit. Bijvoorbeeld (0, 2) en (10, 7). Je tekent dan eerst de twee punten en daarna door die punten de lijn.

Opgaven

1 Schrijf (als dat kan) de volgende vergelijkingen in de vorm $y = a \cdot x + b$.

a $3x + y = 4$
b $x + 3y = 9$
c $2x - y = 5$
d $y - 7 = 0$
e $x = 3$
f $x - \frac{1}{2}y = 4$

2 Teken de volgende lijnen.

a $x + 2y = 6$
b $3x - y = 0$
c $-2x + y = 2$
d $y = -4$
e $x = 5$
f $3x + \frac{1}{2}y = 0$

3 Een onderneming verkoopt een product met als prijs € 5 per eenheid.

a Stel de formule op voor de waarde van de omzet, afhankelijk van de afzet. Gebruik hierbij het symbool Q voor de afzet.
b Teken de grafiek van deze omzetfunctie.

4 Een onderneming heeft een normale bezetting van 50 000 producten per jaar. De vaste kosten zijn € 2,5 miljoen. De variabele kosten zijn € 3 per stuk. De verkoopprijs is € 60 per stuk.

a Bereken de kostprijs van dit product.
b Bereken de winst per product.
c Teken de grafiek van de winst als functie van de geproduceerde hoeveelheid (Q).

5 Bij Rentcar kun je een auto huren onder de volgende voorwaarden. Per dag betaal je een vast bedrag van € 65. Voor dat bedrag mag je 100 kilometer rijden. Als je meer rijdt, betaal je een extra huur van € 0,22 per kilometer. De brandstofkosten zijn hier niet bij inbegrepen; die zijn altijd voor rekening van de huurder.
Als je k kilometer rijdt, geldt voor de huurprijs H dus:
$H = 65$ voor $k \leq 100$ en
$H = 65 + 0{,}22 \times (k - 100)$ voor $k > 100$.

a Teken de grafiek van de huurprijs als functie van de gereden kilometers voor waarden van k tussen 0 en 250.
b Je moet € 79,30 betalen. Hoeveel kilometer heb je gereden?

3.2 Richtingscoëfficiënt

De **richtingscoëfficiënt** *a* van de grafiek van $Y = aX + b$ is de verandering van *Y* als *X* met één eenheid toeneemt.
Als *a* positief is, stijgt de grafiek. Als *a* negatief is, daalt de grafiek.

Je kunt *a* berekenen door de **verticale verandering** te *delen door* de **horizontale toename**.

Voorbeeld 1

- De richtingscoëfficiënt (rico) van de grafiek van $y = 2,5x + 1$ is 2,5. De stijging van de lijn is 2,5 eenheid per eenheid van *x*.

  Twee punten van de grafiek zijn bijvoorbeeld (0, 1) en (4, 11). Tussen die punten is de verticale verandering 11 – 1 = 10. De horizontale verandering is 4 – 0 = 4.

  Er geldt: $rico = \dfrac{11-1}{4-0} = 2,5$.

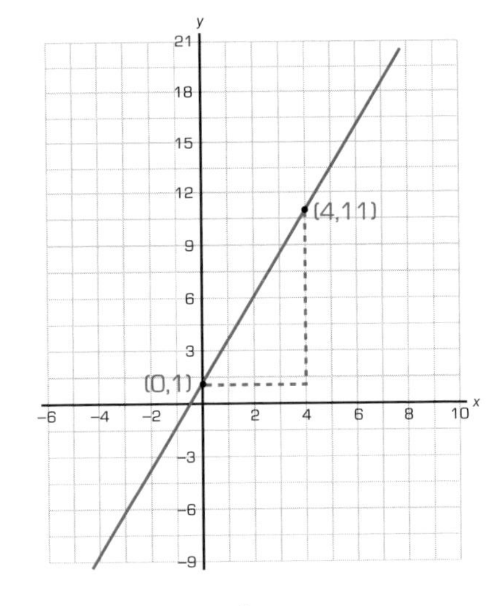

- Van de lijn (grafiek) hiernaast is de rico $-\frac{1}{2}$. Als *x* toeneemt van 2 naar 5, *daalt* *y* van 2 naar 0,5. Je krijgt dus $rc = \dfrac{-1,5}{3}$.

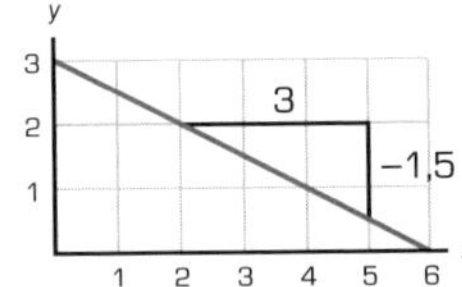

- $y = -5$ is een horizontale lijn. Alle punten hebben de *y*-coördinaat 5. Er is geen stijging of daling. De verticale verandering is dus steeds 0. En dus is ook de richtingscoëfficiënt 0.

- De richtingscoëfficiënt van de lijn door de punten $A(10,\ 12)$ en $B(13,\ 14)$ is:

  $$\text{rico} = \frac{\text{verandering verticaal}}{\text{toename horizontaal}} = \frac{y_B - y_A}{x_B - x_A} = \frac{14-12}{13-10} = \frac{2}{3}$$

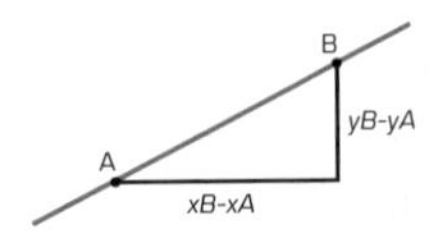

Opgaven

1 **a** Hoe groot is de richtingscoëfficiënt van de lijn door de punten (1, 2) en (7, 12)?

b Hoe groot is de richtingscoëfficiënt van de lijn door de punten (1, 8) en (9, 2)?

c Een lijn waarvan de richtingscoëfficiënt –1,5 is, gaat door het punt (2, 9). In welk punt snijdt de lijn de horizontale as?

2 Een onderneming verkoopt een product met als prijs € 7.

a Stel de formule op voor de waarde van de omzet, afhankelijk van de afzet; gebruik hierbij het symbool Q voor de afzet.

b De in vraag a gevonden formule geeft een lineaire functie weer. Waarom?

c Teken de grafiek van deze omzetfunctie.

d Hoe groot is de richtingscoëfficiënt van deze grafiek? Motiveer je antwoord.

3 De vraagfunctie (Q_v in 100 stuks per maand) naar een bepaald product luidt $Q_v = -1{,}2P + 60$.

a Teken de grafiek van deze vraagfunctie.

b Wat is de richtingscoëfficiënt van deze grafiek?

c Neem aan dat de prijs van het product € 40 is. Hoe groot is dan de vraag?

d Door een inkomensverbetering bij de consumenten koopt men bij een prijs van € 40 van het product 1500 stuks per maand
Bepaal de nieuwe vraagfunctie en teken daarvan de grafiek in de figuur die je bij vraag a hebt gemaakt.

e Wat is de richtingscoëfficiënt van deze tweede grafiek? Motiveer je antwoord.

4 De macro-economische investeringen (I, in miljarden euro's) hangen samen met de hoogte van de rente (R, in decimale notatie) in ons land volgens de volgende formule: $I = -0{,}05R + 10$.

a Verklaar het minteken voor de rente.

b Hoe groot is I bij een rente van 3%?

c Met hoeveel miljard euro dalen de investeringen als de rente stijgt van 3% naar 4%?

3.3 Twee vergelijkingen met twee onbekenden

De coördinaten van het snijpunt van de lijnen $2x+3y=12$ en $3x-2y=5$ voldoen aan beide vergelijkingen.

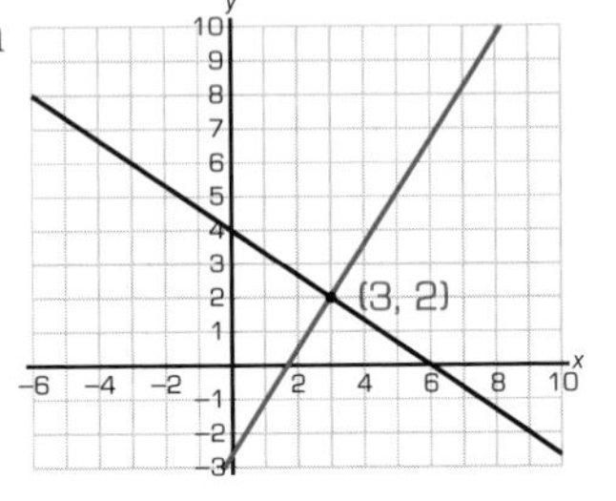

Om de goede x- en y-coördinaat te vinden, kun je het stelsel van de twee vergelijkingen oplossen:

$$\begin{cases} 2x+3y=12 \\ 3x-2y=5 \end{cases}$$

Je kunt dit stelsel oplossen met:
- de **eliminatiemethode** of • **substitutiemethode**.

Voorbeeld 1
De *eliminatiemethode.*
Je vermenigvuldigt de vergelijkingen zo dat je één van de onbekenden kwijtraakt (elimineert) als je de vergelijkingen bij elkaar optelt of van elkaar aftrekt.

$$\begin{cases} 2x+3y=12 \\ 3x-2y=5 \end{cases} \begin{vmatrix} \times 3 \\ \times 2 \end{vmatrix} \quad \begin{cases} 6x+9y=36 \\ 6x-4y=10 \end{cases} -$$

$$13y = 26 \quad \text{dus} \quad y=2$$

Als je nu $y = 2$ in de eerste vergelijking invult, komt er $2x+6=12$.
En daaruit volgt $x = 3$.
Het gevonden snijpunt is dus (3, 2).

Voorbeeld 2
De *substitutiemethode.*
Je maakt x vrij uit één van de vergelijkingen.
Bijvoorbeeld: uit de eerste vergelijking volgt: $x = 6 - 1{,}5y$.
Dit vul je in de tweede vergelijking in. Dan krijg je: $3(6-1{,}5y)-2y=5$.
Hieruit volgt: $18 - 6{,}5y = 5$. Dat betekent: $6{,}5y = 13$. Dus $y = 2$.
Net als boven vul je nu $y = 2$ verder in en je vindt $x = 3$.
Het snijpunt is dus (3, 2).

Opgaven

1 Los de volgende stelsels op.

a $\begin{cases} y = x - 4 \\ y = 2x - 7 \end{cases}$ **b** $\begin{cases} y = 2x - 3 \\ 2y = 3x - 2 \end{cases}$

2 Los de volgende stelsels op.

a $\begin{cases} x + y = 6 \\ x - y = 4 \end{cases}$ **c** $\begin{cases} 3x + 2y = 14 \\ x - 3y = 1 \end{cases}$

b $\begin{cases} 2x - 3y = 4 \\ 3x + 2y = 19 \end{cases}$ **d** $\begin{cases} -2x + 3y = 1 \\ x + y = 12 \end{cases}$

3 Bereken het snijpunt van de lijnen.

a $y = x + 3$ en $y = -x + 3$ **c** $x + 3y = 20$ en $2x - y = 5$

b $y = 2x - 4$ en $y = 11 - x$ **d** $4x + 5y = 45$ en $x + 3y = 20$

4 In een stad concurreren twee kranten met elkaar om de gunst van de abonnee. Het aantal abonnees op de Koerier (N_k) hangt af van de prijs van de Koerier (P_k) en ook van de prijs van concurrent de Gazet (P_g). Dat kun je zien aan de formule: $N_k = 5000 - 100 \times P_k + 500 \times P_g$

a Verklaar het minteken voor de prijs van de Koerier.

b Verklaar het plusteken voor de prijs van de Gazet.

c Hoeveel abonnees heeft de Koerier als de prijs van de Koerier € 1,2 is en de prijs van de Gazet € 0,80 is?

d Met hoeveel procent stijgt het aantal abonnees op de Koerier bij een prijsverlaging van de Koerier naar € 1? Rond af op twee decimalen.

e Welke prijs heeft de grootste invloed op het aantal abonnees van de Koerier; de prijs van de Koerier zelf of de prijs van de Gazet? Verklaar je antwoord.

5 De vraag (Q_v) en aanbodfuncties (Q_a) naar bloemkool kunnen voor een bepaald bedrijf als volgt worden weergegeven (met Q in duizendtallen): $Q_v = -2P + 16$ en $Q_a = 4P - 20$.

a Bereken de evenwichtsprijs P die op deze markt tot stand komt.

b Hoe groot is de omzet van dit bedrijf?

c Teken de grafiek van de vraag- en aanbodfuncties.

3.4 Lineair programmeren

Voorbeeld 1

Rebah BV maakt kasten en bedden. De winst op een kast is € 50 en de winst op een bed is € 40. De onderneming wil zo veel mogelijk winst per dag maken, maar moet met de volgende voorwaarden rekening houden: De productie van een kast kost 3 werkuren en 10 kilo hout. De productie van een bed kost 2 werkuren en 20 kilo hout. Het maximale aantal werkuren per dag is 30. De maximale houtvoorraad is 140 kilo per dag. Je zet deze voorwaarden en gegevens in een schema.

	Kasten		*Bedden*	
Aantal	x		y	
Productietijd	$3x$	$+$	$2y$	≤ 30
Houtvoorraad	$10x$	$+$	$20y$	≤ 140
Winst $=$	$50x$	$+$	$40y$	

Er kan geen 'negatieve hoeveelheid' kasten of bedden gemaakt worden, dus: $x \geq 0$ en ook $y \geq 0$.

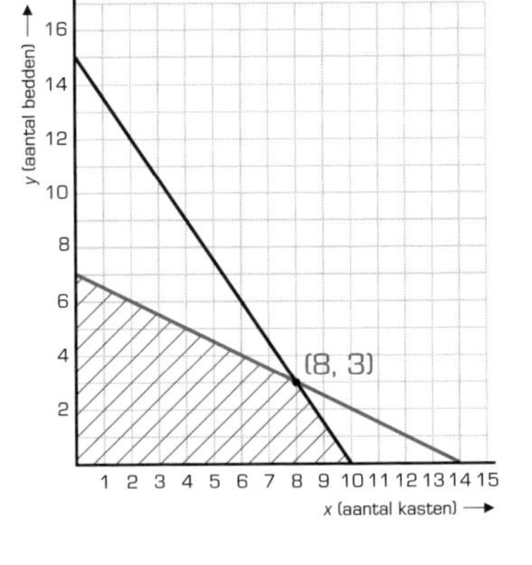

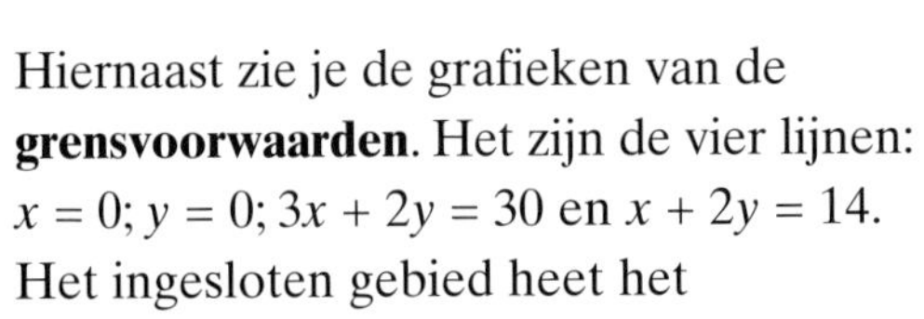

Hiernaast zie je de grafieken van de **grensvoorwaarden**. Het zijn de vier lijnen: $x = 0$; $y = 0$; $3x + 2y = 30$ en $x + 2y = 14$. Het ingesloten gebied heet het **toegestane gebied**, omdat dat de punten bevat die aan de eisen voldoen. Op de rand van het toegestane gebied zoek je het punt (x, y) waarvan de coördinaten de **doelfunctie** $Winst = 50x + 40y$ maximaal maken.
De vier hoekpunten (0, 0); (10, 0); (8, 3) en (0, 7) zijn sterke kandidaten.
Je vult deze coördinaten in in de formule van de winstfunctie.
(0, 0) geeft $Winst = 50 \times 0 + 40 \times 0 = 0$.
(10, 0) geeft $Winst = 50 \times 10 + 40 \times 0 = 500$.
(8, 3) geeft $Winst = 50 \times 8 + 40 \times 3 = 520$.
(0, 7) geeft $Winst = 50 \times 0 + 40 \times 7 = 280$.
De winst is maximaal als er 8 kasten en 3 bedden gemaakt worden.

Bij lineair programmeren bepaal je de extreme waarde van een **doelfunctie** binnen gegeven grensvoorwaarden. Die **grensvoorwaarden** bepalen een veelhoekig gebied, dat het **toegestane gebied** heet.

Opgaven

1 Een houtbewerkingbedrijf maakt tafels en stoelen.
De winst op een tafel is € 15 en de winst op een stoel is € 10.
De onderneming wil zo veel mogelijk winst per dag maken, maar kent de volgende beperkingen en productiekenmerken:
De productie van een stoel kost 5 arbeidsuren en 10 kilo hout.
De productie van een tafel kost 4 arbeidsuren en 20 kilo hout.
Het maximale aantal arbeidsuren per dag is 40.
De maximale houtvoorraad is 140 kilo per dag.
Neem aan dat er x stoelen en y tafels per dag worden gemaakt.

- **a** Stel de wiskundige ongelijkheden op voor de beperkende voorwaarden.
- **b** Teken het toegestane gebied.
- **c** Bereken de coördinaten van de hoekpunten van het toegestane gebied.
- **d** Geef de formule voor de doelfunctie.
- **e** Hoeveel tafels en stoelen dient dit bedrijf per dag te produceren als men de totale winst per dag zo groot mogelijk wilt maken?

2 Een bedrijf dat fietsen verhuurt, wil nieuwe fietsen en tandems (tweepersoons fietsen) aanschaffen.
Bij die aanschaf zijn de volgende gegevens van belang. Een fiets kost € 400 en een tandem kost € 800. In totaal is een bedrag van € 14 400 beschikbaar. Het onderhoud van een fiets kost per week € 10. Het onderhoud van een tandem kost per week € 12. Per week wil men niet meer dan € 240 aan onderhoud besteden.
De dagopbrengst van een fiets is € 15 en de dagopbrengst van een tandem is € 22.

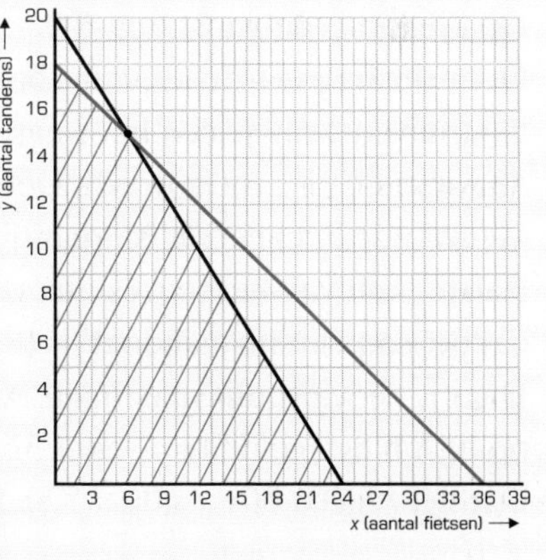

- **a** Neem aan dat er x fietsen en y tandems worden gekocht. Geef de vergelijking van de twee lijnen die samen met de assen het toegestane gebied begrenzen.
- **b** Noem de coördinaten van de vier hoekpunten van het toegestane gebied.
- **c** Reken uit in welk van die vier hoekpunten de dagopbrengst maximaal is en geef aan hoeveel fietsen en hoeveel tandems er gekocht moeten worden.

3.5 Lineair programmeren en de isoquantlijn

In de vorige paragraaf heb je het toegestane gebied getekend met behulp van de **beperkende voorwaarden**. De **optimale waarde** van de doelfunctie bepaalde je met de coördinaten van de hoekpunten van het toegestane gebied. Je kunt het probleem ook volledig grafisch oplossen. Je moet dan de grafiek van de **doelfunctie** ook in de figuur tekenen.

Voorbeeld 1

Ga even terug naar het voorbeeld van de vorige paragraaf.
Voor de winst heb je gevonden: $W = 50x + 40y$. In de oorsprong ($x = 0$ en $y = 0$) geldt: $W = 0$. Maar er zijn meer combinaties van x en y die de winst nul opleveren. Dat zijn alle x en y waarvoor geldt: $Winst = 50x + 40y = 0$. Omwerken geeft $40y = -50x$ en daaruit volgt $y = -\frac{5}{4}x$. Alle punten van deze lijn hebben coördinaten die de winst 0 maken. Hiernaast zie je deze lijn getekend. Ook is getekend de lijn $y = -\frac{5}{4}x + 10$. Dat is de lijn waarvoor geldt $50x + 40y = 400$.
Op die lijn is de winst dus 400.
Door de lijn $y = -\frac{5}{4}x + K$ naar boven te schuiven, krijg je een lijn waarop de winst steeds groter wordt. Deze schuivende lijn heet de **isoquantlijn**. Het laatste punt van het toegestane gebied dat de isoquantlijn 'aandoet' is (8, 3). Daar is de winst dus maximaal. Als (8, 3) op de lijn ligt, geldt $4y = -5x + 52$.

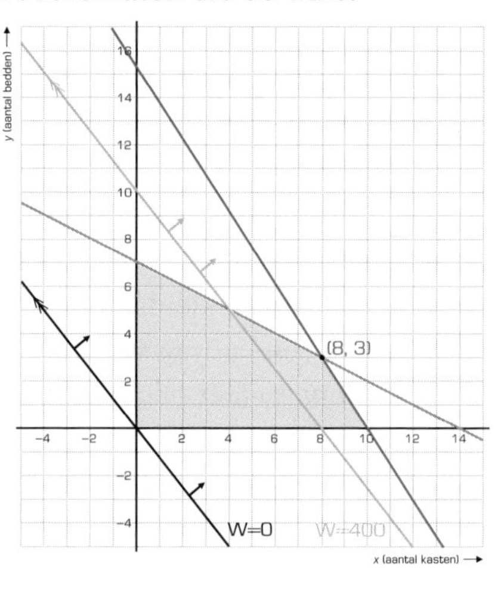

Dat wil zeggen $50x + 40y = 520$. De maximale winst is dus € 520.

Stappen bij lineair programmeren

1. Stel de **doelfunctie** op (dus kijk naar het ondernemingsdoel, zoals: minimale kosten, maximale productie of maximale winst).
2. Schrijf de beperkende voorwaarden op.
3. Teken het toegestane gebied.
4. Stel de vergelijking van de isoquantlijn op.
5. Teken de isoquantlijn in het toegestane gebied.
6. Lees uit de grafiek af welke punt(en) voldoen aan de eisen.

Opgaven

1 Een fruitkwekerij kan appelbomen en/of perenbomen planten. De opbrengst op een appelboom is € 50; die op een perenboom is € 150. Een appelboom kost € 20; een perenboom kost € 40. De kweker heeft een koopbudget van € 1600. Het plukken van een appelboom kost € 5; het plukken van een perenboom kost € 20. Het plukbudget is € 460.

a Stel de wiskundige vergelijkingen en ongelijkheden op voor de winst en voor de budgetbeperkingen.

b Teken de grafiek van de aantallen appels- en perenbomen bij een iso-winstlijn van € 3000.

c Hoeveel appels en perenbomen dienen te worden geplant om de winst zo groot mogelijk te maken ?

2 Een landbouwbedrijf heeft 45 hectare bouwgrond. Op x hectare wordt tarwe verbouwd en y hectare maïs. Een hectare tarwe levert € 3000 op en een hectare maïs levert € 2400 op. De overheid heeft bepaald dat minsten 10 hectare met maïs moet worden bebouwd. Ook is bepaald dat de oppervlakte van het deel dat met tarwe wordt bebouwd hoogstens tweemaal de oppervlakte van het maïsveld mag zijn.

a Noem de beperkende voorwaarden en de doelfunctie.

b Teken in een assenstelsel het toegestane gebied.

c Bereken de coördinaten van de hoekpunten van het toegestane gebied.

d Reken uit hoe groot het tarweveld en hoe groot het maïsveld moet zijn om maximale opbrengst te verkrijgen.

3 In een dierenpension kan een hond logeren voor € 15 per dag en een kat voor € 6 per dag. In het pension zijn x hokken voor honden en y hokken voor katten. De totale oppervlakte van deze hokken is niet groter dan 240 m^2. Een hondenhok heeft een oppervlakte van 3 m^2; een kattenhok is 2 m^2. In een hondenhok kunnen maximaal 2 honden; in een kattenhok kunnen maximaal 3 katten. In totaal moet er ruimte zijn voor minstens 84 dieren. Het aantal hondenhokken mag niet groter zijn dan het aantal kattenhokken. Het aantal hokken moet zo zijn dat de opbrengst maximaal is.

a Stel de beperkende voorwaarden op en teken het toegestane gebied.

b Geef de vergelijking van de doelfunctie.

c Teken de iso-opbrengstlijn voor een opbrengst van € 1800.

d Hoeveel hokken voor honden zijn er en hoeveel voor katten?

e Wat is de maximale dagopbrengst?

4 Functies

4.1 Functies en grafieken

Voorbeeld 1

Een fietsenhandelaar verkoopt v fietsen per week. Er is verband tussen zijn winst R (per week) en de afzet (het aantal verkochte fietsen) v.
Gebleken is dat voor hem de volgende formule geldt:
$R = 0{,}2v^2 - v - 3 \ \ (0 \leq v \leq 25)$
Hierin staat R in honderden euro's.

Dit is een voorbeeld van een functie die door een formule is gegeven.
R is hier een *tweedegraads functie* van v (omdat v tot de tweede macht voorkomt, namelijk v^2).
Er staat bij dat de formule alleen geldt voor $0 \leq v \leq 25$. Dat betekent dat de afzet kan variëren van 0 tot 25 fietsen.

Door voor v in de formule getallen in te vullen krijg je de volgende tabel:

V	0	3	6	9	12	15	18	21
R	−3	−4,2	−1,8	4.2	13	27	43.8	64.2

Met behulp van de tabel kun je de grafiek tekenen.

Bij het tekenen van een grafiek moet je op het volgende letten.

- Bij de *horizontale as* staat wat je invult. Vermeld altijd de variabele en de eenheid. Bij de *verticale as* staat wat er uitkomt (variabele en eenheid).
- De *snijpunten* van de grafiek met de assen.
- De startwaarde van de grafiek. In dit geval start de grafiek bij $v = 0$.

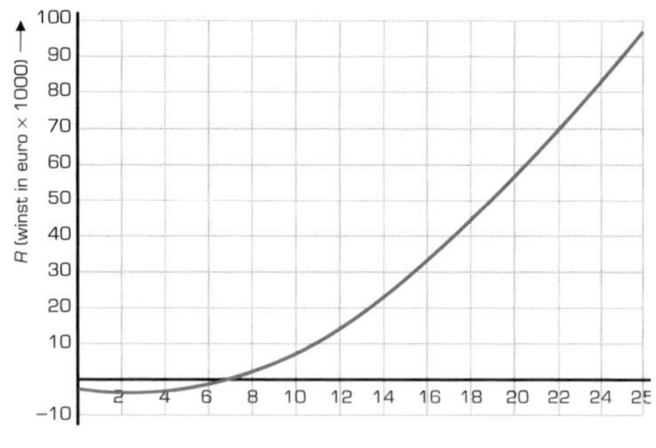

De grafiek van $R = 0{,}2v^2 - v - 3$ is een gebogen lijn, die **parabool** heet.

Opgaven

1 Bekijk de grafiek onderaan de vorige bladzijde.

a In een week waarin hij geen fietsen verkoopt, heeft de handelaar € 300,- verlies. Hoe zie je dat in de grafiek?

b Lees uit de grafiek af hoeveel fietsen hij moet verkopen voordat hij winst begint te maken.

c Hoe groot is de winst per fiets bij een verkoop van 20 fietsen per week?

2 Teken de grafiek die hoort bij de formule.
Maak eerst een tabel met minstens vijf handig gekozen waarden.

a $y = 2x - 1$ met $0 \leq x \leq 6$

b $y = 0.5x^2$ met $-1 \leq x \leq 4$

c $y = 3\sqrt{x}$ met $0 \leq x \leq 16$

d $y = x^2 - 3x$ met $0 \leq x \leq 5$

3 G is de groei van het Bruto Nationaal Product in procenten (van 1997 tot 2006). J is het jaar. Welke grafiek hoort bij welke formule?

A $G = 2$.

B $G = J - 1997$.

C $G = \dfrac{(J - 1997)^2}{25} + 1,2$

D $G = 7 - (J - 1997)$.

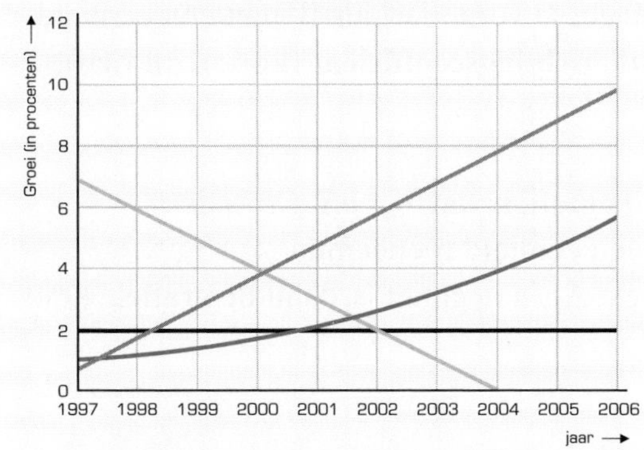

4.2 Lineaire functies

Voorbeeld 1

Een zwembad wordt gevuld met water. De diepte D van het water in het bad wordt tijdens het vullen steeds groter.
Nadat er W kubieke meter water in het bad gegoten is, is de diepte D te berekenen met de formule:
$D = 0{,}025W + 0{,}4$
(W in m^3 en D in meters).

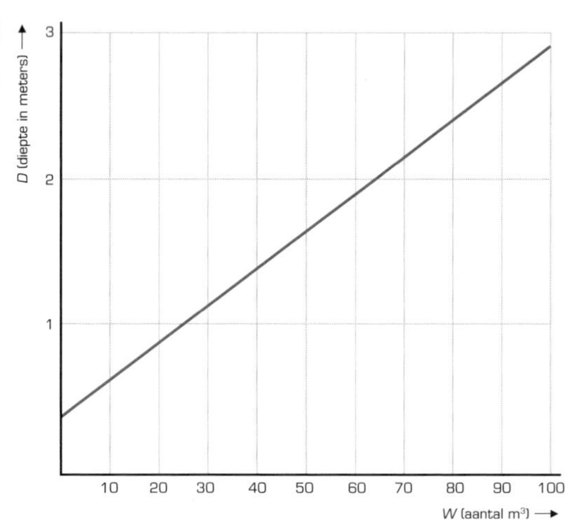

Hier is D een **lineaire functie** van W.
De grafiek van een lineaire functie is een rechte lijn.

Als D een **lineaire functie** is van W, is de *algemene vorm* van de formule: $D = aW + b$.
In de formule is b de **startwaarde** van D.
Dat is de waarde van D voor $W = 0$.
De coëfficiënt a geeft aan hoeveel D verandert als W met één eenheid toeneemt. Van de grafiek is a de **richtingscoëfficiënt** (kort: rc of rico).

Richtingscoëfficiënt

De **richtingscoëfficiënt** a van de grafiek van $Y = aX + b$ is de verandering van Y als X met één eenheid toeneemt.
Als a positief is, stijgt de grafiek. Als a negatief is, daalt de grafiek. (Zie ook paragraaf 3.2).

Voorbeeld 2

De **omzet** O is een lineaire functie van de **afzet** Q.
Als de prijs per eenheid € p is, geldt de formule $O = Q \cdot p$.
Om bij deze formule een grafiek te tekenen, zet je langs de horizontale as de afzet Q en langs de verticale as de omzet O.

Opgaven

1 Bekijk nog eens de functie $D = 0,025W + 0,4$ bovenaan de vorige bladzijde.

a Hoeveel cm stijgt het water als je 1 m^3 water in het bad laat lopen? Hoe kun je het antwoord op deze vraag direct uit de formule aflezen?

b De maximale waterstand D is 2,9 meter. Tussen welke grenzen ligt W?

c Hoe diep was het water toen het vullen begon; anders gevraagd: wat is de startwaarde bij deze functie?

2 Bekijk voorbeeld 2 op de vorige bladzijde.
Neem p = € 2,50 en teken de grafiek bij de formule $O = Q \cdot p$.

3 Een bedrijf produceert bezems. De vaste kosten zijn € 2000 per week.
De variabele kosten zijn € 2,50 per bezem.
Neem aan dat er Q bezems worden geproduceerd.

a Geef een formule voor de totale kosten.

b Welke richtingscoëfficiënt heeft de grafiek van deze functie?

4 De vraag (Q_v)- en aanbodfuncties (Q_a) naar aardappelen zijn voor een bepaald bedrijf (met Q in eenheden van 100 kilo):

$Q_v = -2 \cdot P + 20$ $\qquad$ $Q_a = 3 \cdot P - 15$

a Bereken de evenwichtsprijs die op deze markt tot stand komt

b Hoe groot is de omzet die behaald wordt?

5 Een agrarische onderneming verbouwt groente en brengt deze naar een veiling. Op deze veiling levert de groente € 4000 per hectare op.
De bedrijfskosten zijn per hectare:

- productiekosten: € 1000;
- transportkosten: € 300 per kilometer.

Momenteel is deze onderneming gevestigd op 5 kilometer van de veiling.

a Stel de functie op voor de totale winst van deze onderneming afhankelijk van de afstand D tot de veiling en het aantal hectaren H.

b Tot welke maximale afstand van de veiling zou deze onderneming kunnen gaan verhuizen?

c Door kunstmestgebruik is de opbrengst per hectare te verhogen tot € 8000, maar dit kost € 4500 extra per hectare. Zal deze onderneming kunstmest gaan gebruiken? Motiveer je antwoord.

4.3 Tweedegraads functies

$Y = 0{,}5X^2 - 3X + 7$ is het functievoorschrift van een **tweedegraads functie**.
In zo'n functie is de hoogste macht van de variabele X een kwadraat.
De grafiek van deze functie is een parabool waarvan de top naar beneden wijst; dat is een **dalparabool**.

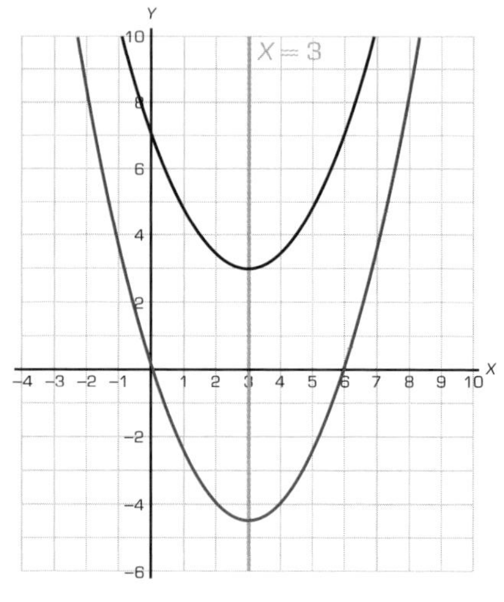

De functie heeft een **minimum**.
Als je het functievoorschrift verandert in $Y = 0{,}5X^2 - 3X$, schuift de grafiek 7 eenheden naar beneden. De X-waarde van de top verandert niet, want er is geen horizontale verschuiving. Beide grafieken staan in de figuur.

De grafiek van $Y = 0{,}5X^2 - 3X$ (de onderste grafiek) snijdt de X-as.
Als je het functievoorschrift verandert in $Y = 0{,}5X(X - 6)$, zie je dat de snijpunten van de grafiek van $Y = 0{,}5X^2 - 3X$ met de X-as liggen bij $X = 0$ en bij $X = 6$.
De top heeft als X-coördinaat $X = 3$, want die X-waarde moet het gemiddelde zijn van 0 en 6 (symmetrie!). De symmetrieas is $X = 3$.

$Y = -0{,}5X^2 + X + 8$ heeft als grafiek een **bergparabool**. (Zie de figuur hiernaast).
De top wijst naar boven. In de formule zie je dat aan de negatieve coëfficiënt voor X^2.
De functie heeft een **maximum**.

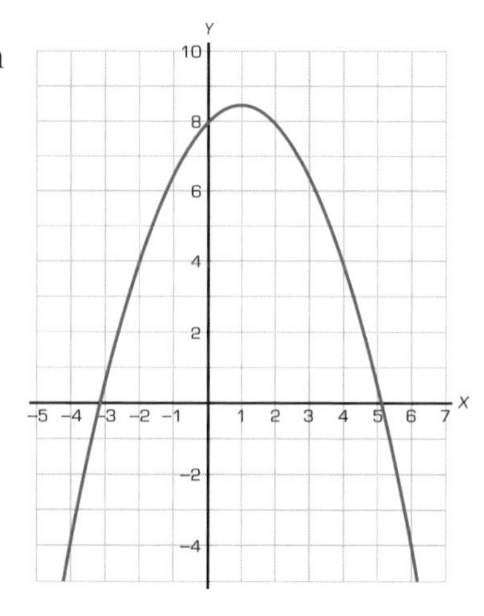

Opgaven

1 Bekijk de bovenste grafieken op de vorige bladzijde.

a Waar snijdt de grafiek van $Y = 0{,}5X^2 - 3X + 7$ de Y-as?

b Bereken van de grafiek van $Y = 0{,}5X^2 - 3X + 7$ de coördinaten van de top.

2 Bekijk de onderste grafiek op de vorige bladzijde.

a In welk punt snijdt de grafiek van $Y = -0{,}5X^2 + X + 8$ de Y-as?

b Schets de grafiek van $Y = -0{,}5X^2 + X$.

c In welke punten snijdt de grafiek van $Y = -0{,}5X^2 + X$ de X-as?

d Bereken de coördinaten van de top van de grafiek van $Y = -0{,}5X^2 + X + 8$.

3 Teken de grafieken van de gegeven functies telkens in één figuur.

a $y = x^2 + 6x$ en $y = x^2 + 6x + 7$

b $y = -x^2 - 8x$ en $y = -x^2 - 8x + 3$

c Bereken van elk van de vier grafieken die je hebt getekend de coördinaten van de top.

4 Welke grafiek hoort bij welke functie?

a $y = 0{,}5(x-3)^2$

b $y = 0{,}5(x+3)^2$

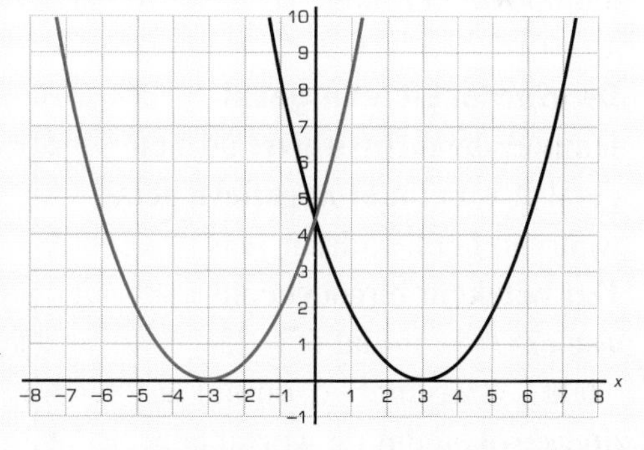

5 De Nederlandse Spoorwegen (NS) hebben na onderzoek de volgende samenhang gevonden tussen de prijs P per km en de hoeveelheid verkochte reizigerskilometers Q (in 10000 kilometer):
$P = -0{,}2Q + 4{,}5$.
Het verband tussen de totale kosten TK en het aantal verkochte kilometers Q is door de NS vastgesteld op: $TK = 10 + 0{,}5Q$.

a Stel de functie op voor de omzet en voor de winst .

b Bij welke afzet is er maximale winst?

c Bij welke prijs is er maximale winst?

Met de cd-rom kun je verder oefenen

4.4 Wortelfuncties

Wortelfuncties kom je soms tegen in berekeningen over afstanden.

Voorbeeld 1

Uit een olietanker stroomt olie met een snelheid van ongeveer 20 m^3 per uur. Op de zee ontstaat een cirkelvormige olievlek met een dikte van ongeveer 0,1 mm . De straal R van de oliecirkel wordt steeds groter.

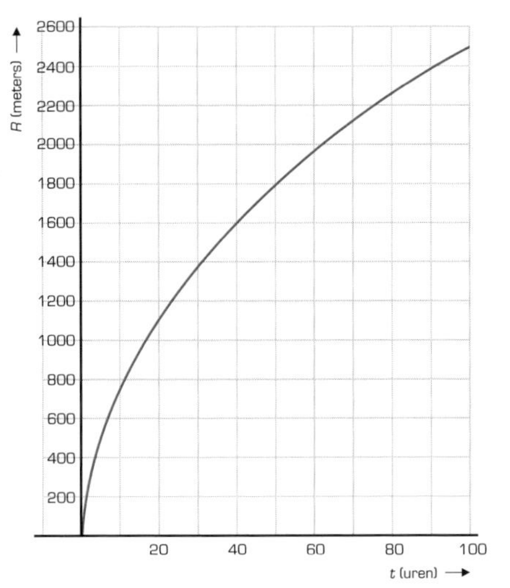

Voor die straal geldt de formule $R = 250 \cdot \sqrt{t}$; hierin staat R in meters en t in uren.

Hiernaast zie je de grafiek van $R = 250 \cdot \sqrt{t}$. De grafiek van een wortelfunctie is een **halve parabool** die op zijn kant ligt.

De wortel uit een getal

De **tweedemachtswortel** uit het getal A is het **niet-negatieve** getal waarvan het kwadraat A is.
Dat betekent bijvoorbeeld dat $\sqrt{25} = 5$, omdat $5^2 = 25$.
Maar $\sqrt{25}$ is niet –5, omdat is afgesproken dat de wortel een niet-negatief getal is.
$\sqrt{-4}$ bestaat niet, omdat er geen getal bestaat waarvan het kwadraat –4 is.

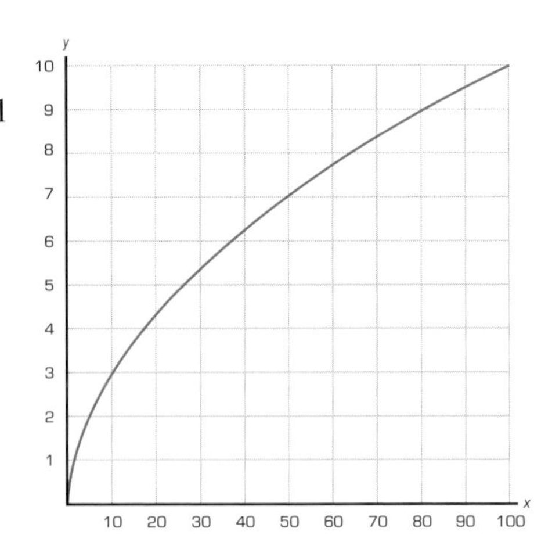

Voorbeeld 2

De grafiek van $y = \sqrt{x}$ is ook een halve parabool. Zie de figuur hierboven.

Opgaven

1 Bekijk nog eens het voorbeeld van de olievlek dat hiernaast staat.

a Hoe groot is de straal van de vlek na ongeveer 25 uur?

b Na hoeveel uur is de middellijn van de vlek ongeveer 4200 meter (dat is ruim 4 kilometer)?

2 Teken de grafiek van de volgende functies. Maak eerst een tabel.

a $y = \sqrt{x+2}$

b $y = \sqrt{x-2}$

c $y = \sqrt{x-5}$

d $y = \sqrt{x+5}$

3 Als je op een toren staat, kun je verder kijken dan als je op de grond staat. Vanaf een hoogte van h meter zie je de horizon op een afstand a km. Deze afstand is een functie van de hoogte h. De formule voor deze functie is $a(h) = \sqrt{12{,}8 \cdot h}$ km. (In deze formule staat h in meters). De formule gaat ervan uit dat het aardoppervlak een gladde bolvorm heeft.

a Je staat op een toren die 100 meter hoog is. Hoe ver kun je kijken (bij helder weer)?

b Hoe hoog moet je staan om twee keer zo ver te kunnen kijken als op een toren van 100 meter hoog?

4 Bij een bollenkwekerij wordt nog veel werk handmatig gedaan. Dankzij de gezelligheid zorgen vele handen niet alleen voor licht werk, maar ook voor lagere kosten bij het inpakken van grotere partijen. De totale variabele kosten worden beschreven met de formule: $TVK = 2\sqrt{Q}$. Hierin stelt Q het aantal doosjes met bollen voor die worden ingepakt en uitgeleverd.
De totale constante kosten zijn $TCK = 980$ euro.
De consumentenprijs van een doosje met bollen is € 10.
Bereken de break-even afzet.

4.5 Snijpunten van grafieken uitrekenen

Grafieken kunnen elkaar snijden of raken. Ook geen enkel gemeenschappelijk punt is mogelijk.

Voorbeeld 1

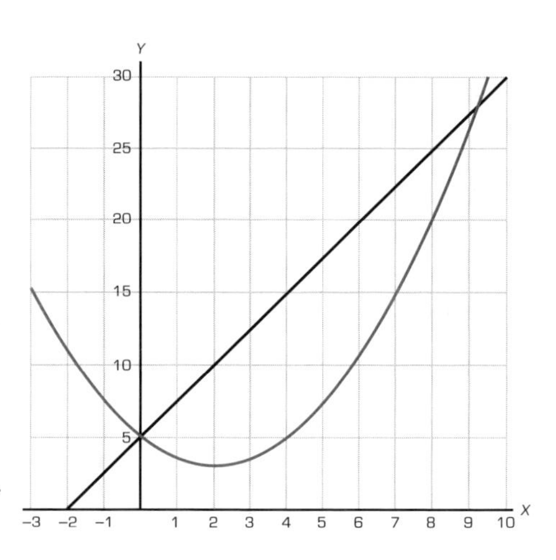

Hiernaast zie je de grafieken van $Y = 0{,}5(X-2)^2 + 3$ en $Y = 2{,}5X + 5$.
Om uit te rekenen waar de snijpunten liggen, los je op:
$0{,}5(X-2)^2 + 3 = 2{,}5X + 5$;
$0{,}5(X^2 - 4X + 4) + 3 = 2{,}5X + 5$;
$0{,}5X^2 - 4{,}5X = 0$
$X^2 - 9X = 0$ dus $X(X-9) = 0$
$X = 0$ of $X = 9$.
Snijpunten zijn $(0, 5)$ en $(9, 27\frac{1}{2})$.

Voorbeeld 2

Een fabrikant heeft vastgesteld dat bij een productie van Q skateboards per jaar de totale productiekosten TK worden gegeven door de formule
$TK = 10 \cdot Q + 10\,000$.
De fabrikant verkoopt de skateboards voor € 50 per stuk.
Zijn omzet (O) is dus: $O = 50Q$.
Hiernaast zie je de grafieken van de beide functies.

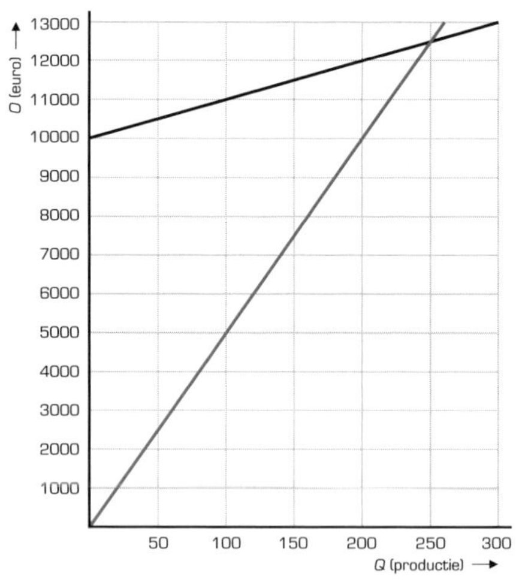

Het snijpunt van beide lijnen bepaalt de oplossing van de vergelijking $O = TK$.
Dus: $10Q + 10\,000 = 50Q$. Dit geeft $Q = 250$.
Bij een productie van 250 skateboards zijn *totale kosten* en *omzet* gelijk en wordt er dus geen winst gemaakt.

Opgaven

1 Hiernaast zie je de parabool $y = \frac{1}{5}x^2 - x + 4$ en de lijnen $y = 4 - \frac{1}{2}x$ en $y = 4$.

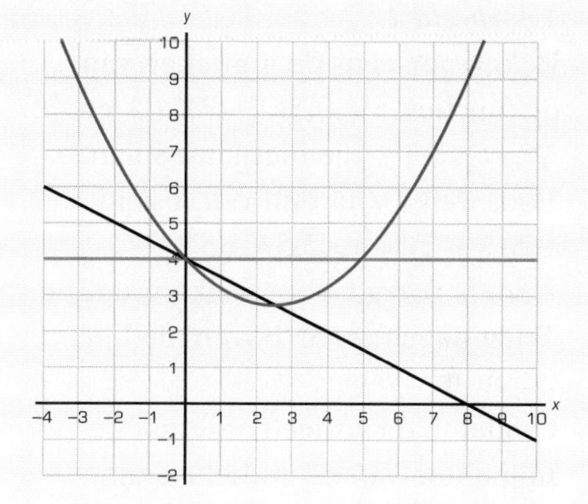

a In welk punt snijdt de parabool de y-as?

b In welke punten snijdt de parabool de lijn $y = 4$?

c Welke coördinaten heeft de top van de parabool?

d In welke punten snijdt de parabool de lijn $y = 4 - \frac{1}{2}x$?

2 Teken eerst de volgende parabolen en lijnen.
Bereken daarna de coördinaten van de snijpunten.

a $y = x^2 - x + 5$ en $y = x + 5$

b $y = -x^2 - 3x + 2$ en $y = x + 2$

c $y = x^2 - 6x$ en $y = -x$

d $y = x^2 + 8x - 1$ en $y = 8x$

3 De vraag (Q_v)- en aanbodfuncties (Q_a) voor uien zijn voor een bepaald agrarisch bedrijf:

$Q_v = -4P + 20$

$Q_a = 8P - 16$

Hierin is Q in eenheden van 100 kilogram.

a Bepaal aan de hand van de grafieken van vraag- en aanbodfuncties de evenwichtsprijs die op deze markt tot stand komt

b Hoe groot is de omzet die behaald wordt?

c Teken de grafieken van de vraag- en aanbodfuncties.

4.6 Tekenverloop gebruiken

Voorbeeld 1

Bekijk nog eens de grafieken van de functies $Y = 0{,}5(X-2)^2 + 3$ en $Y = 2{,}5X + 5$ die hiernaast staan.
Voor welke waarden van X geldt $0{,}5(X-2)^2 + 3 > 2{,}5X + 5$?
Anders gezegd: voor welke waarden van X ligt de parabool 'boven' de lijn?

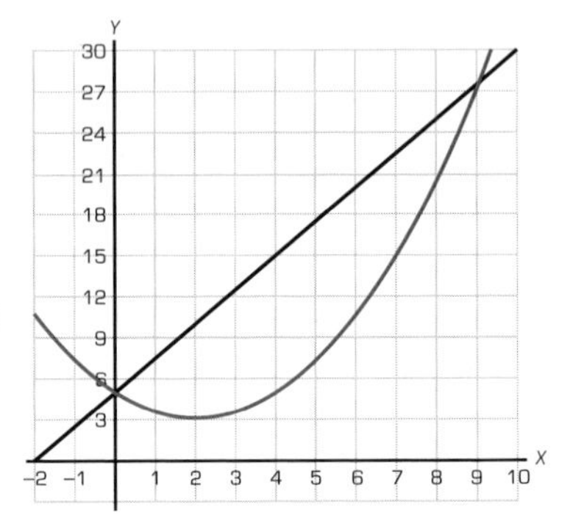

Omdat in de vorige paragraaf de snijpunten van de grafieken zijn berekend, kun je het antwoord op de vraag uit de grafiek afleiden:
voor $X < 0$ of voor $X > 9$.

Zonder de grafiek kun je de oplossing van $0{,}5(X-2)^2 + 3 > 2{,}5X + 5$ als volgt vinden:

Herleid de ongelijkheid op 0. Dat betekent: breng alle termen naar links en zorg ervoor dat rechts een 0 komt te staan.
Je vindt na wat werk (zie de vorige paragraaf) $X(X-9) > 0$.

Geef op een getallenlijn aan waar $X(X-9)$ gelijk is aan 0.
Dat is in $X = 0$ en in $X = 9$.
Tussen $X = 0$ en $X = 9$ is $Y = X(X-9)$ negatief (denk aan de dalparabool) en daar buiten positief. Je krijgt dan:

X-waarden		0		9	
teken van Y	+ + + +	0	− − − − −	0	+ + + + + +

Zo'n figuur heet een **tekenverloop**.

Je kunt nu aflezen dat $Y = X(X-9) > 0$ voor $X < 0$ of voor $X > 9$.

Opgaven

1 Hiernaast staat de grafiek van $y = -0{,}25(x-2)(x-8)$.

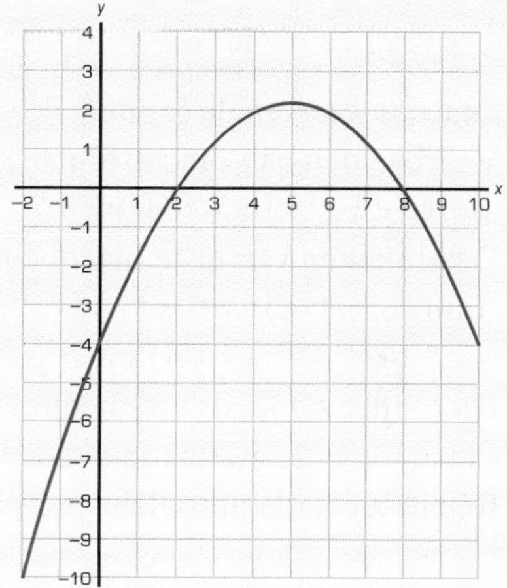

- **a** Laat met een berekening zien dat deze formule herleid kan worden tot $y = -0{,}25x^2 + 2{,}5x - 4$.
- **b** Hoe kun je aan de formule zien dat de grafiek een bergparabool is?
- **c** Voor welke waarden van x is $y = 0$?
- **d** Maak van deze grafiek een tekenverloop.
- **e** Voor welke waarden van x is $y > 0$?

2 Los op met een tekenverloop. Herleid eerst op 0.

- **a** $2x + 500 > 0$
- **b** $4x - 12 < 2x + 28$
- **c** $x(x-3) > 0$
- **d** $(x-5)(x+6) < 0$
- **e** $-(x-2)(x-7) > 0$
- **f** $x(x-25) > 0$

3 Voor een ondernemer geldt de productiekostenfunctie $K = 10Q + 10$. Hierin is Q is de hoeveelheid geproduceerde producten.
De prijs P hangt af van de verkochte hoeveelheid volgens de formule $P = -5Q + 40$.

- **a** Stel de functie op voor de omzet.
- **b** Leg met een berekening uit dat de functie voor de winst als formule heeft: $Winst = -5Q^2 + 30Q - 10$.
- **c** Bereken met de *abc*-formule voor welke waarden van Q de winst 0 is. Rond af op twee decimalen.
- **d** Deze ondernemer vraagt zich af bij welke verkochte hoeveelheden hij winst kan maken. Om dat na te gaan, maakt hij een tekenverloop van de winstfunctie (winst is dan een plusteken en verlies is een minteken).
  Maak, net als de ondernemer, een tekenverloop van de winstfunctie en onderzoek bij welke verkochte hoeveelheden hij winst kan maken.

4.7 Machtsfuncties met positieve gehele exponent

Functies waarvan de formule de vorm $y = x^n$ heeft, heten **machtsfuncties**.
Voorbeelden van machtsfuncties zijn:
$y = x$, $y = x^2$, $y = x^3$ en $y = x^4$.
De grafieken van deze machtsfuncties gaan allemaal door de punten $(0, 0)$ en $(1, 1)$.

Hieronder zie je als voorbeeld vier grafieken van machtsfuncties.
Links zie je de grafieken van $y = x$ en $y = x^3$.
Rechts zie je de grafieken van $y = x^2$ en $y = x^4$.

Voorbeeld 1

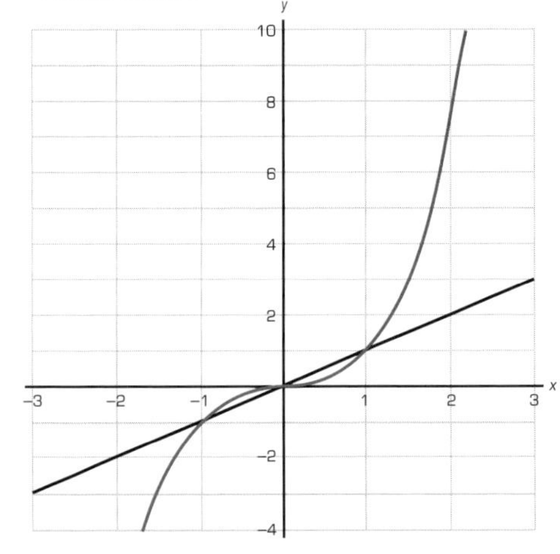

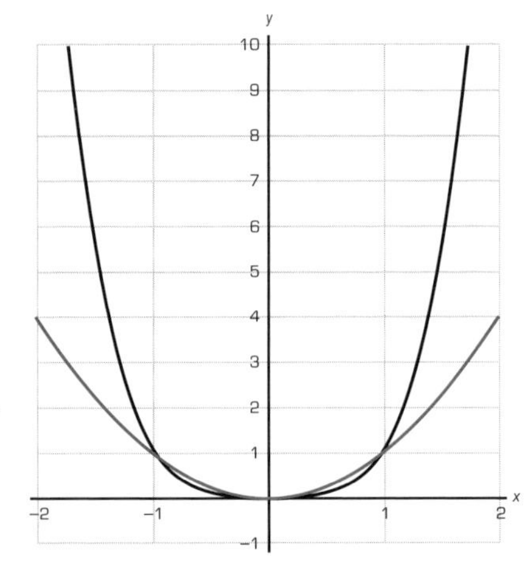

Opgaven

1 Bekijk de vier grafieken in de 2 plaatjes op de bladzijde hiernaast.
Leg uit waarom de vier grafieken allemaal door de punten (0, 0) en (1, 1) gaan.

2 **a** Bekijk het linker plaatje op de bladzijde hiernaast.
Gebruik de grafieken om op te lossen: $x > x^3$.

b Bekijk het rechter plaatje op de bladzijde hiernaast.
Los met behulp van die grafieken op: $x^4 < x^2$.

3 In de elk van de twee plaatjes hieronder staan twee grafieken.

a In de linker figuur staat de grafiek van $y = 0{,}5x^3$.
Van welke functie is de andere grafiek?

b In de rechter figuur staat de grafiek van $y = 0{,}5x^3 - 20$.
Van welke functie is de andere grafiek?

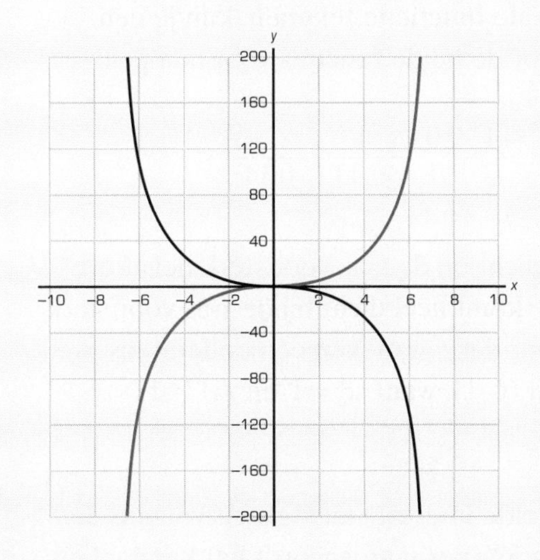

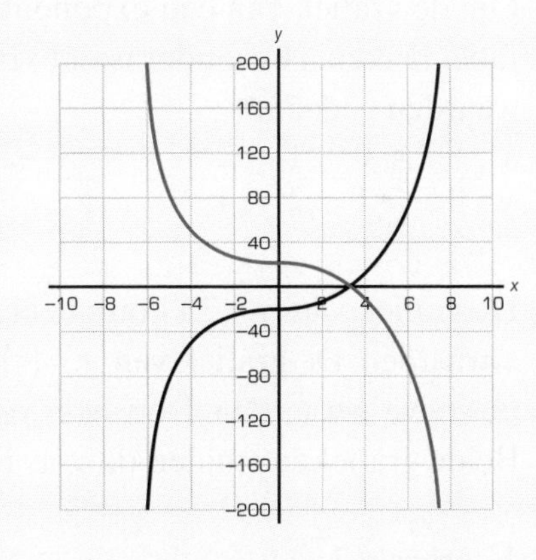

4.8 Exponentiële functies

Hiernaast zie je de grafieken van $y = 2^x$ en $y = \left(\frac{1}{3}\right)^x$

De grafiek van $y = 2^x$ *stijgt*.
De grafiek van $y = \left(\frac{1}{3}\right)^x$ *daalt*.
Beide functies zijn voorbeelden van **exponentiële functies**.

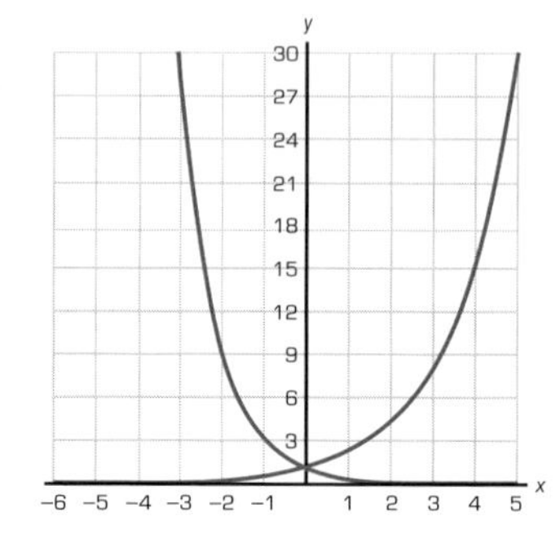

Grondtal

Een exponentiële functie heeft een **grondtal** of **groeifactor**. Van $y = 2^x$ is 2 het grondtal. Van $y = \left(\frac{1}{3}\right)^x$ is het grondtal $\frac{1}{3}$. Als het grondtal groter dan 1 is, stijgt de functie. Als het grondtal kleiner dan 1 is, daalt de functie.

Grafiek tekenen

Om de grafiek van een exponentiële functie te tekenen, kun je een tabel maken. Hieronder is dat voor de beide functies voor een paar x-waarden gedaan.

x	−1	0	1	2	3
y	0,5	1	2	4	8
		× 2	× 2	× 2	× 2

x	−2	−1	0	1	2
y	9	3	1	0,33	0,11
		$\times\frac{1}{3}$	$\times\frac{1}{3}$	$\times\frac{1}{3}$	$\times\frac{1}{3}$

De grafiek van $y = 2^x$ komt heel dicht bij de x-as voor sterk negatieve x-waarden. De grafiek van $y = \left(\frac{1}{3}\right)^x$ komt heel dicht bij de x-as voor sterk positieve x-waarden. De x-as is voor deze grafieken een ondergrens. Beide grafieken snijden de y-as in (0, 1), want $2^0 = 1$ en $\left(\frac{1}{3}\right)^0 = 1$.

Voorbeeld 1

Een kapitaal K dat op samengestelde interest staat, groeit volgens een exponentiële functie. Als de rente 5% per jaar is wordt het kapitaal elk jaar met 1,05 vermenigvuldigd. Zie de tabel hieronder:

Tijd (jaren)	0	1	2	3
Kapitaal	K	$K \cdot 1{,}05$	$K \cdot 1{,}05^2$	$K \cdot 1{,}05^3$

Enzovoort.

Opgaven

1 De grafiek van $TK = 3\times 2^x + 8$ heeft als ondergrens $TK = 8$. De grafiek stijgt, want het grondtal (2) is groter dan 1. Het snijpunt met de verticale as is (0, 11), want $TK(0) = 3\times 2^0 + 8 = 3\times 1 + 8 = 11$.

a Teken de lijn $TK = 8$.

b Maak een tabel met een paar x-waarden en hun functiewaarden.

c Teken de grafiek van $TK = 3\times 2^x + 8$.

2 **a** Neem aan dat je voor de functie $y = 1{,}02^x$ de functiewaarde hebt berekend voor een of andere x.
Wat gebeurt er met die functiewaarde als je de x-waarde 2 groter maakt?

b Gegeven een functiewaarde van $y = 1{,}04^x$. Wat gebeurt er met de functiewaarde als je de x-waarde 3 groter maakt?

c Gegeven een functiewaarde van $y = 1{,}08^t$. Wat gebeurt er met de functiewaarde als je de t-waarde 4 groter maakt?

3 Bekijk nog eens voorbeeld 1 op de bladzijde hiernaast.

a Neem als ingelegd startkapitaal K = € 1500. Gebruik een rekenmachine en bereken hoe groot het kapitaal na 10 jaar is geworden (neem aan dat de rente steeds 5% per jaar blijft).

b Na hoeveel jaar ongeveer is het kapitaal verdubbeld?

4 Iemand zet € 1000 op een rekening die een rente van 5% per jaar geeft. Hoe groot is het bedrag geworden nadat er drie jaar gespaard is?

5 Een ondernemer zet een bedrag van € 500 op zijn bankrekening.
De rente hierop is 8% per jaar. Na t jaar is dit kapitaal gegroeid tot K euro

a Schrijf K als functie van t

b Na hoeveel tijd is dit kapitaal gegroeid tot € 850?

6 Een kapitaal groeit exponentieel; het beginkapitaal is 500. Na een jaar is dit kapitaal gegroeid tot € 520.

a Hoe groot is de groeifactor?

b Wat is de rente?

7 Truus wil op 1 januari 2008 een bedrag op de bank zetten waarmee ze op 2 januari 2012 voor haar ouders een cadeau van € 6000 kan kopen. De bank geeft 4% rente per jaar. Welk bedrag moet ze op 01-01-2008 op de bank zetten om op 02-01-2012 de benodigde € 6000 te hebben?

Met de cd-rom kun je verder oefenen

5.1 Veranderingen vergelijken

Voorbeeld 1

In de grafiek hiernaast zie je voor boeren gatenkaas het verband tussen de omzet O (in euro) en de afzet A in kilogram.

Als de afzet A toeneemt met ΔA (spreek uit: delta-A) kg, neemt de omzet O toe met ΔO (delta-O) euro. Omdat de grafiek een rechte lijn is geldt: $\Delta O = k \times \Delta A$; hierin is k een constante.

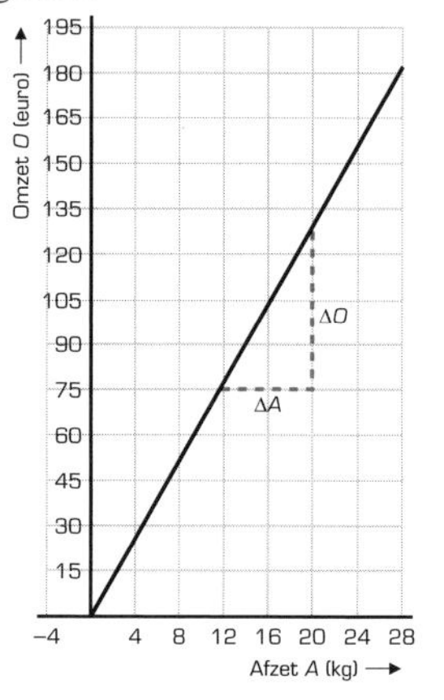

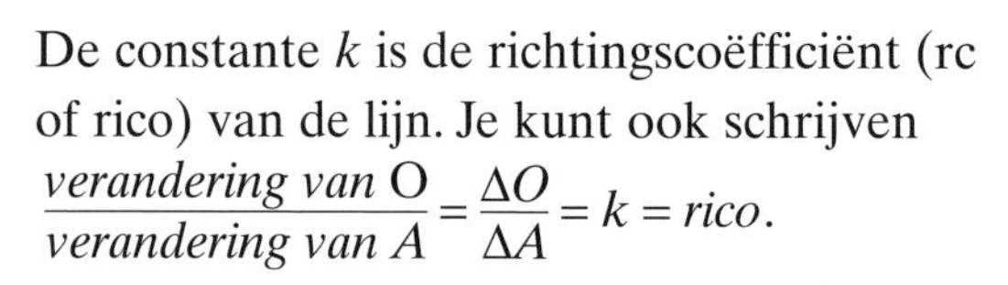

De constante k is de richtingscoëfficiënt (rc of rico) van de lijn. Je kunt ook schrijven

$$\frac{\text{verandering van O}}{\text{verandering van } A} = \frac{\Delta O}{\Delta A} = k = rico.$$

In dit voorbeeld is de richtingscoëfficiënt gelijk aan de prijs van één kilo boeren gatenkaas.

Voorbeeld 2

Hiernaast zie je de grafiek van de winst W als functie van de totale afzet TA. De formule voor de grafiek is $W = 0{,}02(TA)^2$.

Als de afzet TA toeneemt met ΔTA neemt de winst toe met ΔW. Omdat de grafiek geen rechte lijn is,

is $\dfrac{\Delta W}{\Delta(TA)}$ niet constant.

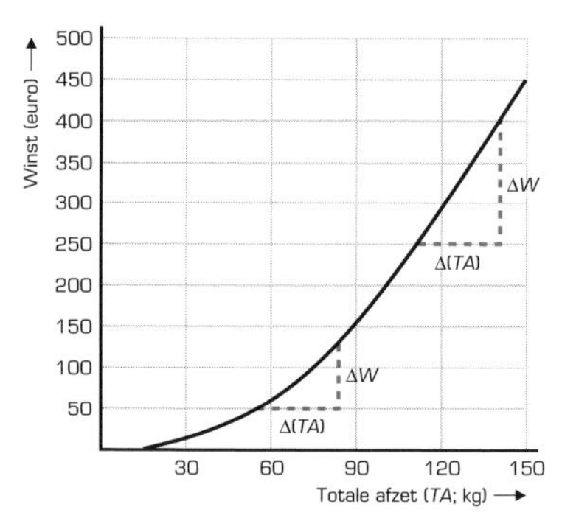

Als TA toeneemt van 45 tot 55 kg, komt er:

$$\frac{\Delta W}{\Delta(TA)} = \frac{0{,}02 \times 55^2 - 0{,}02 \times 95^2}{10} = 2.$$

Maar als TA toeneemt van 95 naar 105 kg, komt er:

$$\frac{\Delta W}{\Delta(TA)} = \frac{0{,}02 \times 105^2 - 0{,}02 \times 95^2}{10} = 4.$$

De grafiek van dit voorbeeld wordt steeds steiler. Daardoor is er in het tweede geval bij dezelfde afzetstijging (10 kg) een grotere winststijging dan in het eerste geval.

Opgaven

1 Bekijk nog eens voorbeeld 1 op de bladzijde hiernaast. Lees uit de grafiek af hoeveel euro een kilo boerengatenkaas kost bij deze kaashandelaar.

2 Hiernaast zie je de grafieken van $Y = 0{,}5X + 2$ en $Y = -0{,}8X + 5$.

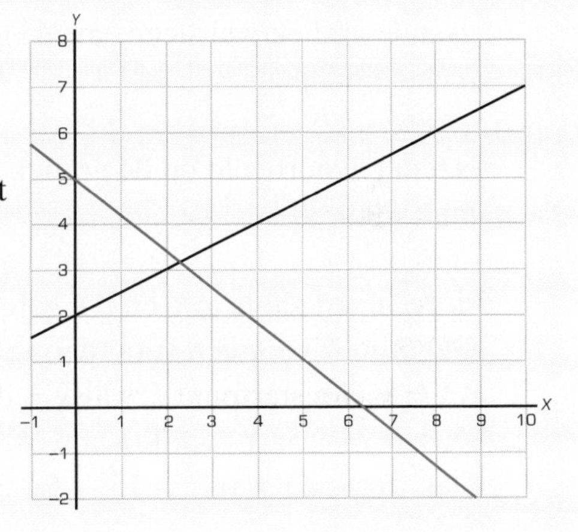

a Voor beide grafieken geldt:

$$\frac{\textit{verandering van Y}}{\textit{verandering van X}} = \frac{\Delta Y}{\Delta X} = \text{constant}$$

Waarom is dat zo?

b Geef voor beide grafieken de waarde van $\frac{\Delta Y}{\Delta X}$.

3 Hiernaast zie je de grafiek van $W = 0{,}1V^2 - 10$.

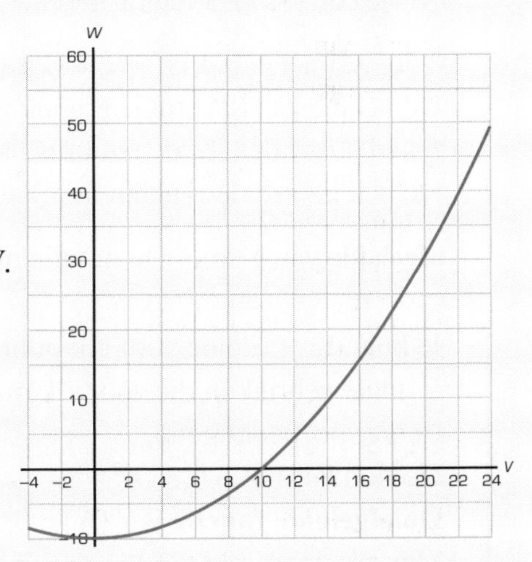

a Laat V toenemen van 7 tot 15.
Dat betekent: $\Delta V = ..?$
Bereken de bijbehorende verandering van W en noem die ΔW.

Bereken ook $\frac{\Delta W}{\Delta V}$.

b Laat V toenemen van 15 tot 22.

Bereken hiervoor $\frac{\Delta W}{\Delta V}$.

c Hoe kun je aan de grafiek zien dat bij vraag b het antwoord van $\frac{\Delta W}{\Delta V}$ groter is dan bij vraag a?

5.2 Inzoomen op de grafiek; raaklijnen

Voorbeeld 1

De grafiek van $Y = 0{,}25X^2 + 5$ (zie hiernaast) is nergens recht. Maar als je een stukje van de grafiek sterk vergroot, gaat de grafiek wel steeds meer op een rechte lijn lijken.

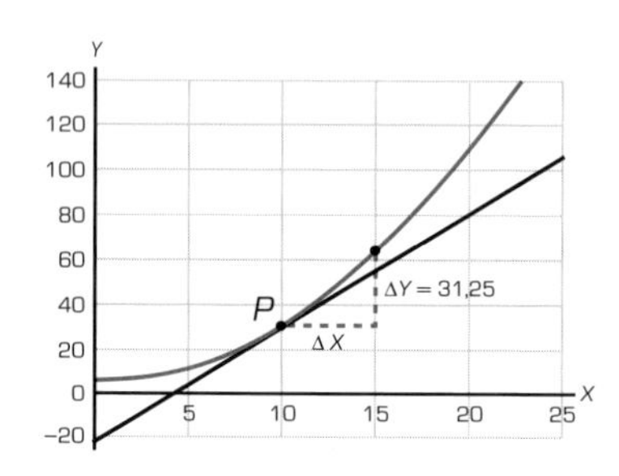

Neem bijvoorbeeld op de grafiek het punt $P(10, 30)$.

In de figuur zie je ΔX en ΔY getekend vanuit P.
Gekozen is voor een verandering van $\Delta X = 5$. Het startpunt P was $x = 10$.
Dus de nieuwe x-coördinaat wordt 15.
Dan wordt $\Delta Y = 0{,}25 \times 15^2 + 5 - 30 = 31{,}25$.

Als je ΔX steeds kleiner neemt, geeft de breuk $\frac{\Delta Y}{\Delta X}$ steeds beter de helling aan van het uitvergrote stukje van de grafiek in de buurt van P.
De helling van dat stukje grafiek is gelijk aan de helling van de raaklijn in P aan de grafiek. In de figuur is die raaklijn in P aan de grafiek getekend.
De helling van de raaklijn in P aan de grafiek van $Y = 0{,}25X^2 + 5$ heet de **afgeleide** van Y in P. De notatie hiervoor is: $Y'(P)$ of $\frac{dY}{dX}$ in het punt P.

Je kunt de afgeleide voor elk punt apart berekenen, maar je kunt ook een formule gebruiken die voor elk punt van de grafiek de afgeleide oplevert.
In dit voorbeeld geldt:
De *functie* is $Y = 0{,}25X^2 + 5$.
De **afgeleide functie** is $Y'(X) = 0{,}5X$.
Met deze formule vind je dat de helling van de grafiek in P *bij deze functie* gelijk is aan de 0,5 maal de X van P, dat wil zeggen 5. De richtingscoëfficiënt van de raaklijn in P aan de grafiek is dus 5.
De afgeleide geeft aan hoe sterk de grafiek (de functie) in een punt stijgt of daalt. In de volgende paragraaf kun je vinden hoe je van een aantal standaardfuncties de afgeleide kunt vinden.

Opgaven

1 Bekijk nog eens het voorbeeld op de bladzijde hiernaast.
De functie is $Y = 0{,}25X^2 + 5$ en de afgeleide is $Y' = 0{,}5X$.

a Op de grafiek ligt het punt $Q(8, 21)$. Leg dat uit.

b Hoe groot is de helling van de raaklijn aan de grafiek in Q?

c Voor dit voorbeeld geldt dat links van de verticale as de afgeleide negatief is. Hoe zie je dat direct aan de grafiek?

2 Hieronder zijn de grafieken getekend van de functies $y = -x^2 + 4x + 4$ en $y = 0{,}5x + \dfrac{1}{x}$.

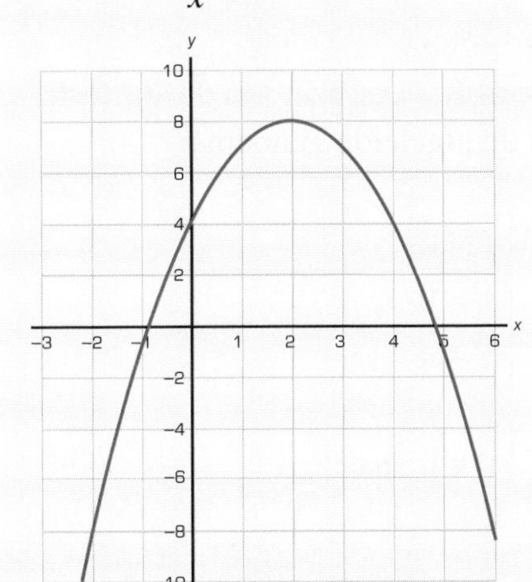

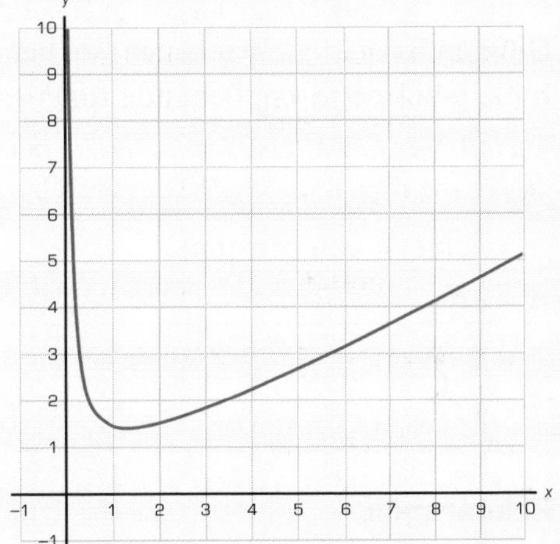

a Lees uit de grafieken af voor welke waarden van x de grafieken dalen en voor welke waarden van x de grafieken stijgen.

b Op de linker grafiek ligt het punt $P(0, 4)$. Laat dat met een berekening zien.

c Teken in P de raaklijn aan de grafiek en bepaal daarmee een benadering van de afgeleide in P.

d Op de rechter grafiek ligt het punt $Q(2; 1{,}5)$. Laat dat met een berekening zien.

e Teken in Q de raaklijn aan de grafiek en bepaal daarmee een benadering van de afgeleide in Q.

5.3 Afgeleiden van standaardfuncties

In de vorige paragraaf is de afgeleide van de functie $y = 0,25x^2 + 5$ genoemd. De formule voor de afgeleide van die functie is $y' = 0,5$.
Met de **afgeleide** van een functie kun je voor elk punt van de grafiek van die functie de helling van de raaklijn berekenen.
Is de helling van de raaklijn positief, dan stijgt de functie in dat punt.
Is de helling van de raaklijn negatief, dan daalt de functie in dat punt.

Van de functie $f(x)$ noteer je de afgeleide als $f'(x)$ of als $\frac{df(x)}{dx}$.

Van de functie $y = \ldots$ noteer je de afgeleide als y' of als $\frac{dy}{dx}$.

Differentiëren is het berekenen van het functievoorschrift van de afgeleide.
In de tabel zie je van bekende functies de afgeleide genoemd:

$f(x)$	$f'(x)$
$y = k$, met k een constante	$y' = 0$
$y = ax + b$	$y' = a$
$y = x^p$, met p een willekeurig getal	$y' = p \cdot x^{p-1}$
$y = a \cdot x^p$	$y' = a \cdot px^{p-1}$

Rekenregels

1. Als $f(x) = g(x) + k$, dan is $f'(x) = g'(x)$ (k is een *constante*)
2. Als $f(x) = k \cdot g(x)$, dan is $f'(x) = k \cdot g'(x)$
3. Als $f(x) = g(x) + h(x)$ dan is $f'(x) = g'(x) + h'(x)$ (*somregel*)

Voorbeelden

- De afgeleide van $y = 10$ is $y' = 0$. (een horizontale lijn heeft de helling 0; dat klopt met regel 1 uit de tabel.)
- De afgeleide van $y = x^2$ is $y' = 2x^{2-1} = 2x$. (Regel 3 uit de tabel.)
- De afgeleide van $y = 2x^2 - 3x + 2$ is $y' = 2 \times 2x^{2-1} - 3 \times 1x^{1-1} = 4x - 3$.
- De afgeleide van $y = \sqrt{x} = x^{\frac{1}{2}}$ is $y' = \frac{1}{2} \cdot x^{-\frac{1}{2}} = \frac{1}{2} \cdot \frac{1}{x^{\frac{1}{2}}} = \frac{1}{2} \cdot \frac{1}{\sqrt{x}} = \frac{1}{2\sqrt{x}}$.
- De afgeleide van $y = \frac{1}{x^4} = x^{-4}$ is $y' = -4x^{-5} = \frac{-4}{x^5}$.

Opgaven

1 Bereken de afgeleide van de volgende functies.

a $y = 5$

b $y = 0,5x$

c $y = \frac{2}{x}$

d $y = x^2 - 3x$

e $y = x^3$

f $y = \frac{2}{x^3}$

2 Bereken $\frac{dy}{dx}$ voor de volgende functies. Soms is het verstandig het functievoorschrift eerst te vereenvoudigen.

a $y = -3$

b $y = 2x - x^2$

c $y = \frac{5x}{\sqrt{x}}$

d $y = 2\sqrt{x}$

e $y = 2x\sqrt{x}$

f $y = 2x^2 + 4$

3 **a** Gebruik de afgeleiden die je in opgave 2 hebt gevonden en bereken daarmee van elke grafiek van opgave 2 de helling voor $x = 4$.

b Van welke functie van opgave 2 daalt de grafiek voor $x = 4$?

4 Hiernaast zie je de grafiek van $f(x) = -\frac{x^3}{3} + 2x^2$. Bekijk de grafiek alleen voor positieve waarden van x.

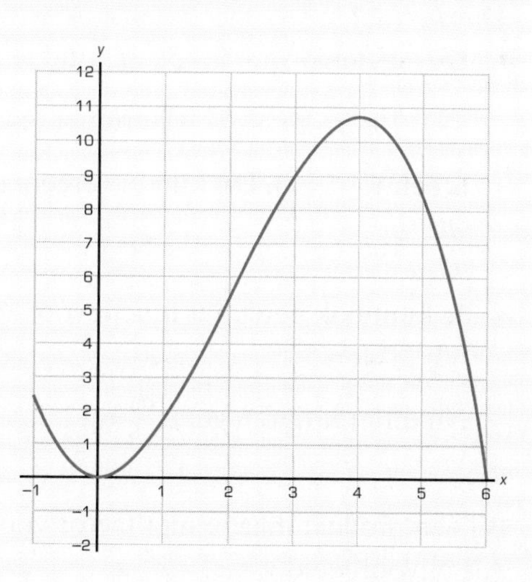

a Voor welke waarden van x stijgt de functie en voor welke waarden van x daalt de functie?

b Bereken de afgeleide functie $f'(x)$ en schets de grafiek van f'.

c Hoe kun je aan de grafiek van f' zien dat je antwoord op vraag a goed is?

5.4 Productregel

Soms is een functie het product van twee andere functies. Om zo'n functie te differentiëren gebruik je de **productregel**:
Als $y = f(x) \cdot g(x)$ dan is $y' = f'(x) \cdot g(x) + f(x) \cdot g'(x)$.

Voorbeeld 1

- De functie $y = (x^2 + 3)(1 - x^3)$ kun je opvatten als het product van de functies $f(x) = x^2 + 3$ en $g(x) = 1 - x^3$.
  De afgeleide wordt dus
  $\frac{dy}{dx} = 2x(1 - x^3) + (x^2 + 3) \cdot (-3x^2) = -5x^4 - 9x^2 + 2x$.
- Je kunt ook eerst het functievoorschrift vereenvoudigen:
  $f(x) = -x^5 - 3x^3 + x^2 + 3$.
  Nu differentiëren geeft: $f'(x) = -5x^4 - 9x^2 + 2x$.

Aan dit voorbeeld kun je zien dat differentiëren makkelijker kan worden door eerst het functievoorschrift te vereenvoudigen.

Voorbeeld 2

- De afgeleide van $y = 5t^2\sqrt{t}$ vind je met de productregel als volgt:
  $\frac{dy}{dt} = 10t\sqrt{t} + 5t^2 \cdot \frac{1}{2\sqrt{t}}$. (Herinner je dat de afgeleide van $y = \sqrt{t}$ gelijk is aan $y' = \frac{1}{2\sqrt{t}}$). Dit kun je vereenvoudigen tot
  $\frac{dy}{dt} = 10t\sqrt{t} + 2{,}5t\sqrt{t} = 12{,}5t\sqrt{t}$.
- Je kunt ook eerst het functievoorschrift vereenvoudigen tot
  $y = 5t^2\sqrt{t} = 5t^{2,5}$.
  Nu differentiëren geeft $\frac{dy}{dt} = 12{,}5t^{1,5} = 12{,}5t\sqrt{t}$.

Bij een product mag je niet factor voor factor differentiëren.
Als bijvoorbeeld $y = x^5 = x^3 \cdot x^2$.
Dan is $y' = 5x^4$ en **niet** $y' = 3x^2 \cdot 2x = 6x^3$.

Opgaven

1 Bereken de afgeleide van de volgende functies. Probeer voordat je gaat differentiëren of je breuken kunt vereenvoudigen. Schrijf wortels eerst als machten.

a $y = (1 - x^4) \cdot (2x - 1)$

b $f(t) = \dfrac{t^2 + 2t}{t + 2}$

c $y = 3\sqrt{x} \cdot (1 - 2x)$

d $y = 3\sqrt{x} \cdot (1 + 2x)$

e $y = \dfrac{1}{x} + \dfrac{(x^2 - 1)}{x + 1}$

f $y = (2x + x^3)\sqrt{x}$

2 De vorm van de rechthoek hiernaast verandert met de tijd. De breedte is t^2 cm en de lengte is $10 - \dfrac{t}{3}$ cm. Hierin is t de tijd in uren. Dus na 3 uur is de breedte 9 cm en de lengte ook 9 cm.

lengte = $10 - \frac{t}{3}$

breedte = t^2

a Na hoeveel uur is de rechthoek verdwenen? Waarom is dat zo?

b Hoe groot is de oppervlakte na 6 uur?

c De oppervlakte van de rechthoek na t uur kun je berekenen met een functie. Bereken het functievoorschrift van die functie.

d Hiernaast zie je de grafiek van de functie die je bij vraag c hebt gevonden. De oppervlakte van de rechthoek wordt eerst groter en daarna weer kleiner. Na hoeveel uur is de oppervlakte maximaal?

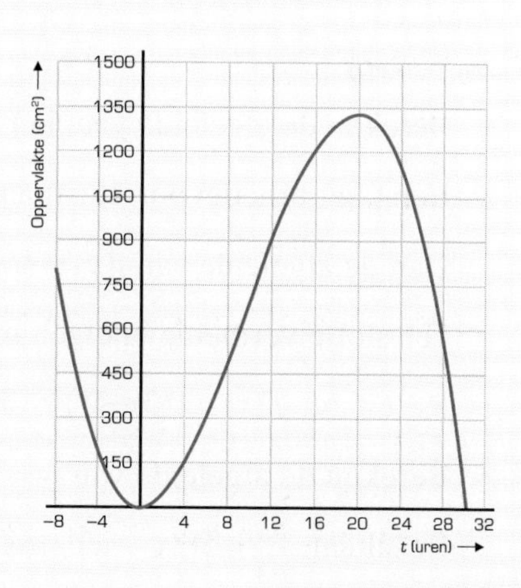

5.5 Kettingregel

Bij een functie als $y=(x^2+3)^8$ bereken je een functiewaarde in twee stappen.
Voor $x = 4$ bijvoorbeeld reken je eerst uit $4^2 + 3 = 19$ (stap 1)
en daarna bereken je 19^8 (stap 2).
Zo'n functie in stappen heet een **kettingfunctie**.

Om een kettingfunctie te differentiëren gebruik je de **kettingregel**.
Je gebruikt evenveel stappen als bij het berekenen van de functiewaarde.
Je werkt van 'buiten naar binnen'.
De laatste functiestap differentieer je het eerst.
Het differentiëren van $y=(x^2+3)^8$ gaat als volgt:
Eerst de afgeleide van $y=(H)^8$. Dat is $y'=8H^7$.
Daarna vermenigvuldigen met de afgeleide van $H=x^2+3$. Dat is $2x$.
Het eindresultaat wordt: $\frac{dy}{dx}=8(x^2+3)^7\cdot 2x$ ofwel $\frac{dy}{dx}=16x(x^2+3)^7$.

Kettingregel

Als $y=f(g(x))$, dan is $y'=f'(g(x))\cdot g'(x)$.
Je ziet dat de afgeleide van f (de tweede functie) wordt vermenigvuldigd met de afgeleide van g (de eerste functie).

Voorbeeld

- Bereken de afgeleide van $f(x)=\sqrt{3x-1}$.

  Eerst het functievoorschrift aanpassen: $f(x)=(3x-1)^{\frac{1}{2}}$.

  Dan de afgeleide van $f(x)=H^{\frac{1}{2}}$. Dat is $f'(x)=\frac{1}{2}H^{-\frac{1}{2}}$.

  Ten slotte vermenigvuldigen met de afgeleide van $H = 3x - 1$.

  Resultaat: $f'(x)=\frac{1}{2}(3x-1)^{-\frac{1}{2}}\cdot 3=\frac{3}{2\sqrt{3x-1}}$.
- Bereken de afgeleide van $y=(3x^2+x)^5$.

  Resultaat: $\frac{dy}{dx}=5(3x^2+x)^4\cdot(6x+1)=(3x^2+x)^4(30x+5)$

Opgaven

1 Differentieer de volgende functies.

a $y=(3x+2)^4$

b $y=(3x^2+2)^4$

c $y=(2x-1)^5$

d $y=\sqrt{2x-4}$

e $y=(x^2+x+3)^4$

f $y=\sqrt{x^2+x+3}$

g $y=\sqrt{2x}$

h $y=\sqrt{25-x^2}$

2 Differentieer de volgende functies.

a $f(x)=(x-10)(3x+2)^4$

b $f(x)=(2x-4)\sqrt{2x-4}$

c $f(x)=x\sqrt{2x}$

d $f(x)=(x^2+7)(3x+5)^3$

3 **a** In opgave 1 staat één functie waarvan de grafiek daalt bij $x = 3$. Welke functie is dat? Leg uit waarom die grafiek daalt bij $x = 3$.

b Van de functie $f(x)=(2x-4)\sqrt{2x-4}$ is de helling van de grafiek bij $x = 4$ gelijk aan 6. Laat dat met een berekening zien.

4 Van de functie $y=(1+5x-x^2)^3$ staat hiernaast een stukje van de grafiek. Tussen $x = 2$ en $x = 3$ is de grafiek ergens horizontaal. Onderzoek met behulp van de afgeleide functie in welk punt dat het geval is.

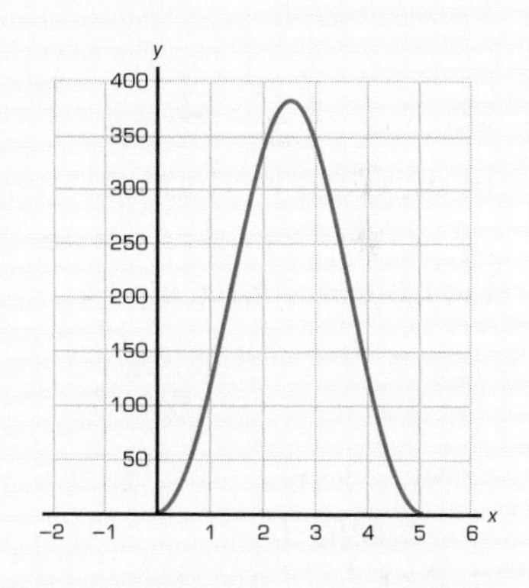

5.6 Quotiëntregel

Als in het functievoorschrift een breuk van twee functies voorkomt, kun je de afgeleide vinden met de **quotiëntregel**.
Deze quotiëntregel luidt als volgt:

Als $y=\frac{T}{N}$, dan is $y'=\frac{N\cdot T'-T\cdot N'}{N^2}$.

Voorbeeld 1

Gegeven $y=\frac{2x}{3x+4}$. Bereken het functievoorschrift van y'.

Hier is $T(x)=2x$ en $N(x)=3x+2$.
En hieruit volgt $T'(x)=2$ en $N'(x)=3$.

De quotiëntregel geeft als resultaat: $y'=\frac{(3x+4)\cdot 2-2x\cdot 3}{(3x+4)^2}=\frac{8}{(3x+4)^2}$.

Voorbeeld 2

Gegeven $f(x)=\frac{2x^2+x}{6x-5}$. Bereken het functievoorschrift van $f'(x)$.

In dit geval is $T(x)=2x^2+x$ en $N(x)=6x-5$.
Er volgt: $T'(x)=4x+1$ en $N'(x)=6$.
De quotiëntregel geeft:

$$f'(x)=\frac{(6x-5)(4x+1)-(2x^2+x)\cdot 6}{(6x-5)^2}=\frac{12x^2-20x-5}{(6x-5)^2}.$$

Voorbeeld 3

Een kleine fabriek van vouwfietsen maakt X fietsen per week.
De administrateur heeft berekend dat de gemiddelde kosten GK per fiets kunnen worden berekend met de formule $GK=2X+\frac{2200}{X}$ euro.
De afgeleide van deze functie is $GK'=2-\frac{2200}{X^2}$.

In gevallen zoals in voorbeeld 3 kun je de quotiëntregel vermijden.
Je schrijft dan $GK=2X+\frac{2200}{X}=2X+2200\times X^{-1}$ en je vindt als afgeleide $GK'=2-2200\times X^{-2}=2-\frac{2200}{X^2}$.

Opgaven

1 Differentieer de volgende functies.

a $y = \frac{x+1}{x-1}$ **c** $y = \frac{x^2+1}{x+1}$

b $y = \frac{1}{x+1}$ **d** $y = \frac{x}{2x+1}$

2 Differentieer de volgende functies. Vermijd het gebruik van de quotiëntregel. Ga eerst het functievoorschrift vereenvoudigen.

a $y = x + \frac{1}{x}$ **c** $y = \frac{1}{2x+3}$

b $y = \frac{1+\sqrt{x}}{\sqrt{x}}$ **d** $y = \frac{x^2-7}{x^2}$

3 Op de vorige bladzijde stond in voorbeeld 3 de functie

$GK = 2X + \frac{2200}{X}$.

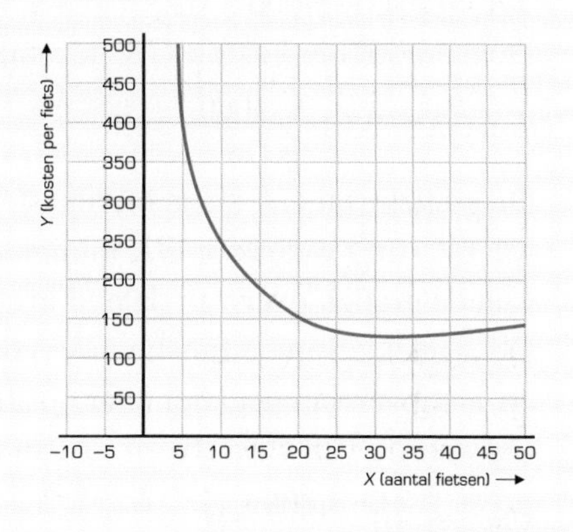

Hiernaast zie je van deze functie de grafiek.
Om te vinden bij welke productieomvang de kosten per fiets minimaal zijn, bereken je bij welke X-waarde de grafiek van dalend overgaat in stijgend.
Bij die X-waarde is de afgeleide functie nul.

a Leg uit dat je om de goede X te vinden moet oplossen: $2 - \frac{2200}{X^2} = 0$.

b Bereken de gevraagde X-waarde (bedenk dat X een geheel getal moet zijn!).

c Hoe hoog zijn de kosten per fiets in het geval dat de gemiddelde kosten per fiets minimaal zijn?

Met de cd-rom kun je verder oefenen

5.7 Optimaliseren

Een producent wil weten bij welke productieomvang de kosten *minimaal* zijn of bij welke productieomvang de winst *maximaal* is. Zulke vragen heten *optimaliseringsproblemen*. Het minimum of maximum van een functie vind je door te berekenen waar de afgeleide functie 0 is. In de grafiek zie je of het een minimum of een maximum is.

Voorbeeld 1

Bij een productie van s paar schoenen per week worden de totale kosten TK gegeven door de formule $TK = 0{,}01s^2 + 4000$.
De gemiddelde kosten GK per paar zijn dan $GK = 0{,}01s + \frac{4000}{s}$.

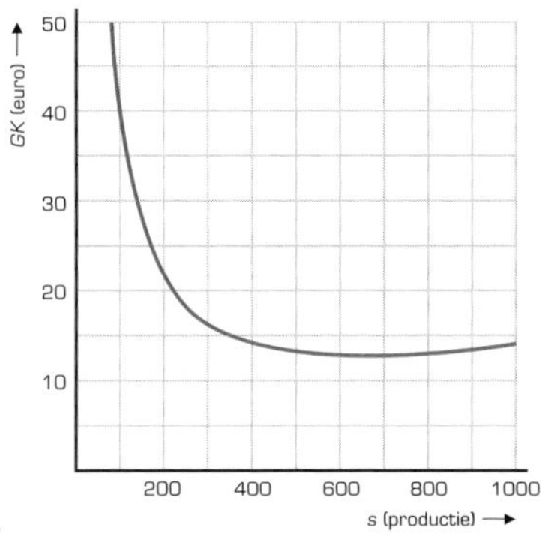

De grafiek van GK zie je hiernaast. Bij de waarde van s waarvoor GK minimaal is, gaat de grafiek over van dalend in stijgend. De afgeleide van de functie GK is daar 0 en gaat over van negatief naar positief.
De waarde van s waarvoor GK minimaal is, vind je dus uit:

$$GK' = 0{,}01 - \frac{4000}{s^2} = 0.$$

Hieruit volgt de vergelijking $s^2 = 400\,000$ met als oplossing $s \approx 632$.
Bij een productie van 632 paren per week zijn de minimale kosten per paar

$$0{,}01 \times 632 + \frac{4000}{632} \approx 12{,}65 \text{ euro.}$$

Voorbeeld 2

De functie $f(X) = -2{,}5X^2 + 75X + 1000$ is een tweedegraads functie van X. De grafiek van zo'n functie is een parabool. Omdat er voor de term met X^2 een minteken staat, is het een bergparabool.
In het hoogste punt van de parabool is de raaklijn horizontaal. De afgeleide is daar dus 0. Om de X-waarde van dat maximum te vinden, los je op:
$f'(X) = -5X + 75 = 0$. Je vindt $X = 15$.
De hoogte van de top vind je door $X = 15$ in te vullen in de formule van de functie. Er komt dan: $f(15) = -2{,}5 \times 225 + 75 \times 15 + 1000 = 1562{,}5$.

Opgaven

1 Hiernaast staat de grafiek van de functie $Y = X^3 - 52{,}5X^2 + 750X + 250$. Je ziet dat er tussen $X = 0$ en $X = 35$ een maximum en een minimum liggen. Om te vinden waar die extremen liggen, bereken je de afgeleide functie Y'. Waar $Y' = 0$ gaat de grafiek van stijgend over in dalend of van dalend over in stijgend. Daar liggen dus de extreme waarden.

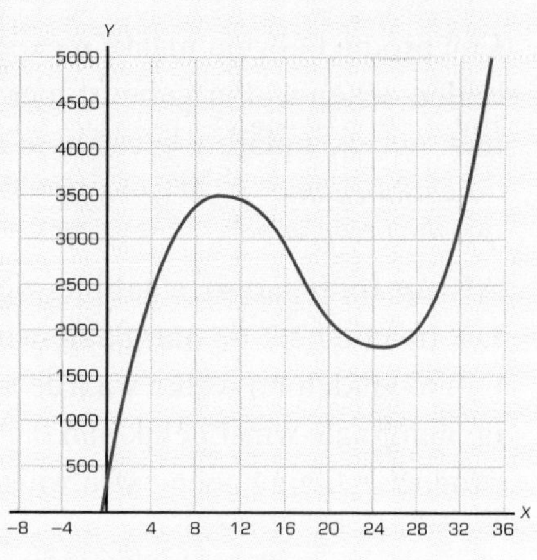

a Bereken de formule voor de afgeleide functie Y'.

b Stel $Y' = 0$ en los deze vergelijking op met de *abc*-formule.

c Bereken met de bij vraag b gevonden oplossingen de Y-waarden van het minimum en het maximum.

2 Van een rechthoekig stuk karton van 20 cm bij 30 cm maak je een bakje. Uit elke hoek van het karton knip je een vierkantje met zijde h weg. Daarna vouw je de randen omhoog. Je krijgt dan een bakje. De breedte is $20 - 2h$ cm; de lengte is $30 - 2h$ cm en de hoogte is h cm.

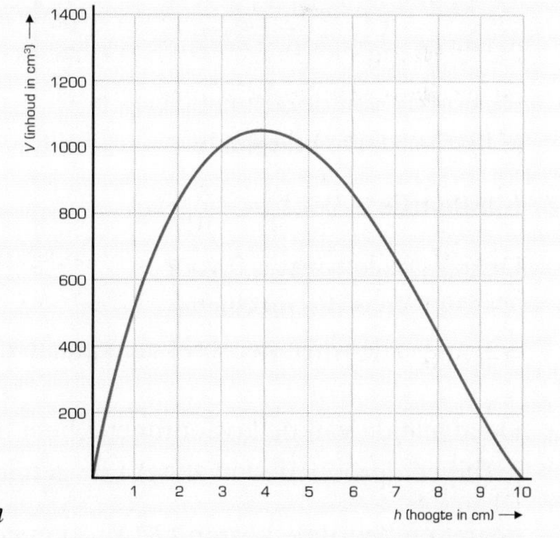

a Voor de inhoud V van het bakje geldt de formule $V(h) = (30 - 2h) \cdot (20 - 2h) \cdot h$
$= 4h^3 - 100h^2 + 600h$.
Leg dat uit. De grafiek staat hiernaast.

b Los met de *abc*-formule op: $V'(h) = 0$.

c Voor welke waarde van h is V maximaal?

d Hoe groot is de maximale inhoud van het bakje?

5.8 Afgeleide functies

Een productiefirma maakt p exemplaren per week. Om te onderzoeken wat er gebeurt met de winst W als de productie toeneemt met Δp exemplaren, bereken je de verhouding:

$$\frac{winsttoename}{productietoename} = \frac{W(p+\Delta p) - W(p)}{\Delta p}.$$

Als Δp tot 0 nadert, staat hier de afgeleide van de winstfunctie. Die functie heet de **marginale** winstfunctie.
Om te vinden bij welke waarde van p de winst maximaal is, stel je de marginale winst gelijk aan 0. Als de **marginale winst** 0 is, levert productiestijging geen extra winst meer op.

Voorbeeld 1

Een bedrijf maakt X mobieltjes per week. De winst W kan worden berekend met de formule:

$$W(X) = -\frac{X^2}{20} + 32X - 2270.$$

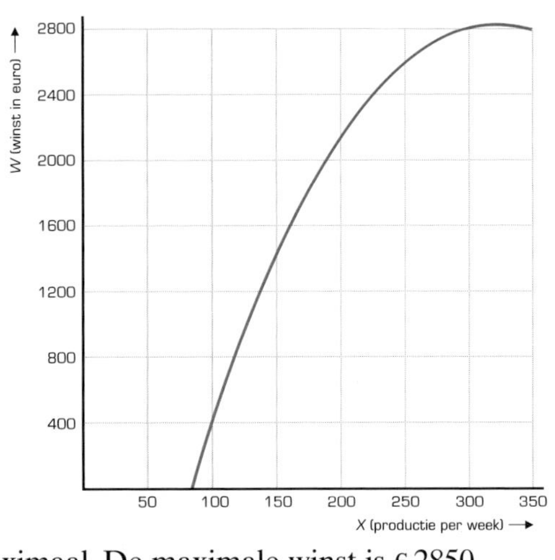

De grafiek van deze functie zie je hiernaast. De **marginale winstfunctie** is $W'(X) = -\frac{X}{10} + 32$.
De marginale winst is 0 voor $X = 320$. Voor die productieomvang is de winst per week maximaal. De maximale winst is € 2850.

De afgeleide van de kostenfunctie heet de **marginale kostenfunctie**. Als je (bij een productieomvang X) de gemiddelde kosten $GK(X)$ noemt en de totale kosten $TK(X)$, dan geldt: $GK(X) = \frac{TK(X)}{X}$. En daaruit volgt: $GK'(X) = \frac{X \cdot TK' - TK}{X^2}$ (quotiëntregel). Het *minimum* van $GK(X)$ vind je uit $GK'(X) = \frac{X \cdot TK' - TK}{X^2} = 0$. En daaruit volgt: $X \cdot TK' = TK$. En dat betekent $TK' = \frac{TK}{X}$. De gemiddelde kosten zijn dus minimaal als de marginale kosten gelijk zijn aan de gemiddelde kosten.

Opgaven

1 Voor een productiebedrijf geldt voor de totale kosten TK de formule: $TK = 0{,}5X^3 - 2X^2 + 4X$.

- **a** Bereken de formule voor de gemiddelde kosten GK.
- **b** Bereken de formule voor de marginale kosten MK.
- **c** Bereken voor welke X de gemiddelde kosten gelijk zijn aan de marginale kosten.
- **d** Hoe hoog zijn de minimale gemiddelde kosten?

2 Bij een productie van $1000p$ potloden per week worden de totale kosten berekend met de formule:

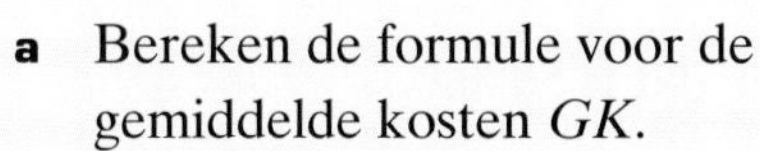

$$TK = \frac{p^3}{6} - \frac{3}{2}p^2 + 6p \ (\times 1000 \text{ euro})$$

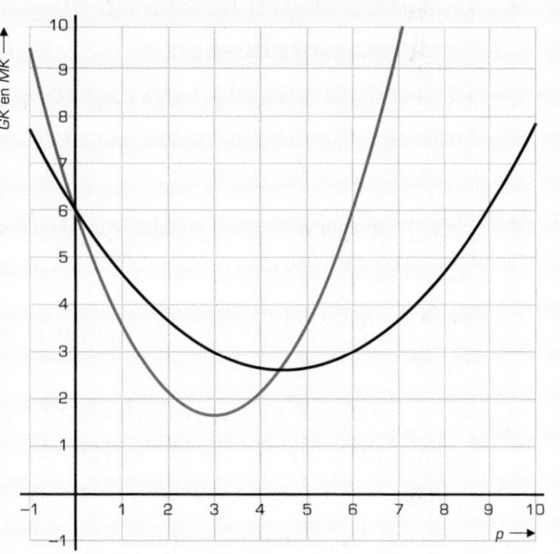

- **a** Bereken de formule voor de gemiddelde kosten GK.
- **b** Voor welke waarde van p zijn de gemiddelde kosten GK gelijk aan de marginale kosten MK?
- **c** Hoe hoog zijn de minimale gemiddelde kosten?
- **d** Hiernaast staan de grafieken van GK en MK. Geef aan welke grafiek van GK en welke van MK is.

3 Bij een productie van Q skateboards per jaar worden de totale productiekosten TK gegeven door de formule $TK = 10Q^2 + 10\,000$.

- **a** Wanneer zijn de gemiddelde kosten groter dan de marginale kosten? Motiveer je antwoord.
- **b** Bij welke productieomvang per jaar zijn de gemiddelde kosten minimaal?

4 Een monopolist heeft als vraagfunctie: $Q_v = -5P + 60$

- **a** Schrijf de omzet als functie van de verkoopprijs.
- **b** Is de gemiddelde opbrengst gelijk aan de marginale opbrengst? Motiveer je antwoord.
- **c** Bij welke prijs is de omzet maximaal?

6.1 Absoluut, relatief en cumulatief

Voorbeeld 1
Vorig jaar werd een machine aangeschaft voor € 20000.
De restwaarde aan het einde van jaar 1, 2, 3 en 4 wordt vastgesteld op respectievelijk € 16000, € 13000, € 9200 , € 5000.
Verder is bekend dat de grondstofkosten € 2,50 per product zijn.
Per jaar worden 2000 producten gemaakt.

- De **totale kosten** bestaan in dit voorbeeld uit de **afschrijvingskosten** en de **grondstofkosten**.
  In jaar 1 zijn de afschrijvingskosten: € 20000 – € 16000 = € 4000.
  In jaar 1 zijn de grondstofkosten: € 2,50 × 2000 = € 5000.

- Relatief gezien zijn de grondstofkosten (ten opzichte van de totale kosten) in jaar 1:
  $\frac{5000}{9000}$ = 0,56 deel van de totale kosten; dat is 56%.

- De *Cumulatieve* grondstofkosten na vier jaar zijn de grondstofkosten van de eerste vier jaar samen:
  € 5000 + € 5000 + € 5000 + € 5000 = € 20000.

- De **economische levensduur** van de machine kun je bepalen door na te gaan bij welk jaar de kosten K_p per product het laagste zijn.

Jaar	Cum. afschr. kosten	Cum. grondst. kosten	Cumulatieve totale kosten	Cumulatieve productie	K_p
1	4000	5000	9000	2000	4,50
2	7000	10000	17000	4000	4,25
3	10800	15000	25800	6000	4,30
4	15000	20000	35000	8000	4,38

De economische levensduur van deze machine is dus 2 jaar.

- **Absolute aantallen** zijn aantallen (in stuks of eenheden) zoals ze gevonden of geteld zijn.
- **Relatieve aantallen** worden gegeven als percentage of deel van een (groter) geheel.
- **Cumulatieve aantallen** ontstaan door verschillende (meestal al eerder gevonden) aantallen bij elkaar op te tellen.

Opgaven

1 Eke en Puck zijn beiden verkopers bij Rex BV.
In januari heeft Eke 450 producten verkocht en Puck 400.

a Hoe groot is het absolute verschil in verkopen tussen Eke en Puck in januari?

b Hoe groot is het relatieve verschil in verkopen tussen Eke en Puck in januari?
In februari heeft Eke 415 en Puck 420 stuks verkocht.
In maart heeft Eke 400 en Puck 430 stuks verkocht.

c Hoe groot is het cumulatieve verschil in verkopen tussen Eke en Puck aan het einde van het eerste kwartaal?

2 Petra moet voor De Kramer BV bepalen of een machine voor een bedrag van € 600000 (alle kosten inbegrepen) wel of niet moet worden aangeschaft.
De machine heeft een technische levensduur van vijf jaar.
In het eerste jaar zal de productiewaarde € 300000 zijn.
Per jaar daalt de productiewaarde met een bedrag van € 35000.
De totale kosten zijn in het eerste jaar € 100000 en nemen per jaar met € 10000 toe.

a Geef het overzicht van het jaarlijkse resultaat voor ieder van de vijf jaren en cumuleer vervolgens deze bedragen.

b Na hoeveel jaar is de investering terugverdiend?

c Moet Petra een positief of een negatief advies geven over de aanschaf van de machine? (Motiveer het antwoord).

3 Vorig jaar werd een machine aangeschaft voor € 500000.
De restwaarde aan het einde van jaar 1, 2, 3 en 4 wordt vastgesteld op respectievelijk.
€ 260000, € 230000, € 200000 en € 100000,-.
Verder is bekend dat de grondstofkosten € 20 per product zijn.
In het eerste jaar worden 20000 producten gemaakt, maar per jaar neemt de productie met 1000 af.
Bepaal de economische levensduur van deze machine.

6.2 Procenten

Percentage

Een **percentage** (genoteerd als: %) is een honderdste gedeelte.

Voorbeeld 1

Een procent (1%) van 500 is dus $\frac{1}{100} \times 500 = 0{,}01 \times 500 = 5$.
Twee procent (2%) van 500 is dus $\frac{2}{100} \times 500 = 0{,}02 \times 500 = 10$.

Omrekenen

Een decimaal getal kun je omrekenen naar een percentage.
Je vermenigvuldigt het decimale getal met 100 en voegt er een procentteken aan toe.

Voorbeeld 2

$0{,}1 = 0{,}1 \times 100\% = 10\%$.
$0{,}05 = 0{,}05 \times 100\% = 5\%$.
$0{,}25 = 0{,}25 \times 100\% = 25\%$.

Een percentage kun je ook omrekenen naar een decimaal getal.
Je deelt het percentage door honderd en laat het procentteken weg.

Voorbeeld 3

$10\% = \frac{10}{100} = 0{,}1$.
$200\% = \frac{200}{100} = 2$.

Promillage

Een **promille** is een duizendste gedeelte. Het is dus een tiende gedeelte van een procent. Het symbool voor promille is: ‰.

Voorbeeld 4

1 promille van 5000 is $5000 : 1000 = 5$.

25 promille van 650 = $\frac{25}{1000} \times 650 = 0{,}025 \times 650 = 16{,}25$.

Opgaven

1 Bereken.
a 32% van 90.
b 63% van 120.
c 7% van 18.

2 Bereken.
a 10% van 60 + 15% van 60.
b 4% van 40 + 9% van 15.
c 35% van 600 + 85% van 800.

3 Bereken.
a 10% van 60 × 15% van 60.
b 4% van 40 × 9% van 15.
c 35% van 600 × 85% van 800.

4 Geef de volgende getallen weer als percentage.
a 0,05.
b 0,67.
c 1,25.

5 Geef de volgende percentages weer als getal.
a 12%.
b 89%.
c 200%.

6 Bereken.
a 12 promille van 60.
b 85 promille van 1140.
c 485 promille van 18.

6.3 Rekenen met BTW

Belasting over de Toegevoegde Waarde

Elke onderneming moet over zijn omzet belasting aan de fiscus afdragen. De hoogte van die belasting is een vast percentage van de **Toegevoegde Waarde** van die onderneming. Globaal gesproken is die Toegevoegde Waarde het verschil tussen de verkoopwaarde en de inkoopwaarde van de onderneming.

Het reguliere BTW-percentage is momenteel 19% (voor sommige producten en diensten bestaat ook nog het lage BTW percentage van 6%. Voor medische diensten en export bestaat het 0-tarief).

Voorbeeld 1

De prijs van een paar schoenen is exclusief 19% BTW € 75.
De prijs van dit paar inclusief 19% BTW is € 75 × 1,19 = € 89,25.

		In %	In €
	Prijs exclusief BTW	100 %	€ 75
+	BTW	19 %	€ 14,25 = $\frac{19}{100} \times 75$
=	Prijs inclusief BTW	119 %	€ 89,25

Voorbeeld 2

Het BTW-bedrag van een wasmachine is € 87.
Dit BTW-bedrag is 19% van de prijs exclusief BTW. Om de verkoopprijs exclusief BTW te vinden, moet je terugrekenen naar 100%.
De (verkoop)prijs exclusief BTW is dan $\frac{87}{19} \times 100$ = € 457,89.

Voorbeeld 3

De prijs van een flesje parfum is inclusief 19% BTW € 49,50.
De prijs van dit flesje exclusief 19% BTW is € 49,50 : 1,19 = € 41,60.

		In %	In €
	Prijs inclusief BTW	119 %	€ 49,50
–	BTW	19 %	€ 7,90 = $19 \times \frac{49,50}{119}$
=	Prijs exclusief BTW	100 %	€ 41,60.

Opgaven

1 Bereken het BTW-bedrag in het geval dat de verkoopprijs exclusief 6% BTW is.

a € 25.
b € 140.
c € 1800.

2 Bereken de verkoopprijs inclusief 19% BTW in het geval dat de verkoopprijs exclusief BTW is.

a € 70.
b € 620.
c € 8200.

3 Bereken het BTW bedrag in het geval dat de verkoopprijs inclusief 19% BTW is.

a € 10.
b € 420.
c € 3520.

4 De prijs van een computer is inclusief 19% BTW € 1899.
Bereken de prijs van de computer exclusief BTW.

5 De consumentenprijs (inclusief 19% BTW) van een MP3-speler bedraagt € 50. De inkoop van dit product bij de leverancier bedraagt (inclusief 19% BTW) € 30.
Bereken welk BTW-bedrag de onderneming aan de fiscus dient af te dragen.

6.4 Marge

De **marge** is het verschil tussen de verkoopprijs (exclusief BTW) en de inkoopprijs (exclusief BTW).
Je moet er altijd goed op letten of de marge wordt berekend over de inkoop- of over de verkoopprijs.

Voorbeeld 1
Op een horloge zit een marge van 60% over de inkoopprijs.
De inkoopprijs (exclusief BTW) is € 325.
De verkoopprijs (exclusief BTW) is € 325 × 1,60 = € 520.

		In %	In €
	Inkoopprijs (excl. BTW)	100 %	€ 325
+	(Winst)Marge	60 %	€ 195 (= 0,6 × 325)
=	Verkoopprijs (excl. BTW)	160 %	€ 520

Voorbeeld 2
Op een fles wijn zit een marge van 15% over de verkoopprijs.
De verkoopprijs (exclusief BTW) is € 20.
De marge is dus 0,15 × € 20 = € 3.
De inkoopprijs (exclusief BTW) is 0,85 × € 20 = € 17.

		In %	In €
	Inkoopprijs (excl. BTW)	85 %	€ ??
+	(Winst)Marge	15 %	€ 3 (= 0,15 × 20)
=	Verkoopprijs (excl. BTW)	100 %	€ 20

Opgaven

1 Op een paar schoenen is de winstmarge 25% van de inkoopprijs.
Bereken de verkoopprijs in het geval dat de inkoopprijs is:

a € 75.

b € 125.

c € 200.

2 Op een paar schoenen is de winstmarge 25% van de inkoopprijs.
Bereken de inkoopprijs in het geval dat de verkoopprijs is:

a € 75.

b € 125.

c € 200.

3 Een product gaat vanaf de fabriek via de groothandel naar de detaillist.
De af-fabrieksprijs van dat product is € 40.
De groothandel en de detaillist hebben allebei een marge van 15% van hun *inkoopprijs*.
Bereken de consumentenprijs, inclusief 19% BTW.

4 Een product gaat vanaf de fabriek via de groothandel naar de detaillist.
De af-fabrieksprijs van dat product is € 40.
De groothandel en de detaillist hebben allebei een marge van 15% van hun *verkoopprijs*.
Bereken de consumentenprijs, inclusief 19% BTW.

5 Welke opslag in procenten van de inkoopprijs komt overeen met een marge van 15% van de verkoopprijs?

6 Een USB-stick kost in de winkel € 20, inclusief 19% BTW.
De marge voor de detaillist is 20% van de verkoopprijs (exclusief BTW). De marge voor de groothandel is 15% van de inkoopprijs (exclusief BTW).
Bereken de inkoopprijs van de groothandel.

7 Een detaillist heeft op een bepaald product een marge van € 15.
Die marge is 40% van de verkoopprijs exclusief 19% BTW.
Bereken de verkoopprijs inclusief 19% BTW.

6.5 Procentuele verandering

Absolute en relatieve verandering

Veranderingen, bijvoorbeeld in de loop van de tijd, kun je op verschillende manieren aangeven.
De **absolute verandering** is het verschil tussen de nieuwe en de oude waarde.
De **relatieve verandering** is de verandering als percentage (of als fractie) van de oude waarde.

Voorbeeld 1

De prijs van een mobiele telefoon stijgt van € 80 naar € 90.

- De *absolute verandering* van de prijs is: € 90 – € 80 = € 10.
- De *relatieve verandering* van de prijs is $\frac{\text{nieuwe prijs} - \text{oude prijs}}{\text{oude prijs}}$.

  Dus in dit geval: $\frac{90-80}{80} = 0{,}125$.

Je kunt ook zeggen: de prijsverandering is 0,125 deel (12,5%) van de oude prijs.

De nieuwe prijs van de telefoon is gelijk aan 'de oude prijs plus 0,125 deel van de oude prijs'.
Nog anders gezegd: *nieuwe prijs* = 1,125 × *oude prijs*.

Voorbeeld 2

De prijs van een mobiele telefoon is gestegen van € 80 naar € 90.
De verkoop van deze mobiele telefoon is hierdoor gedaald van 500 stuks naar 375 stuks.

Procentuele verandering van de verkoop is dus $\frac{375-500}{500} \times 100\% = -25\%$.

De verkochte hoeveelheid mobiele telefoons is met 25 procent gedaald.

Opgaven

1 Bereken de procentuele prijsstijging (of prijsdaling) als de prijs verandert van:

a € 10 naar € 15.

b € 8 naar € 10.

c € 14 naar € 12.

d € 1,50 naar € 1,60.

2 Van de voetbalclub V.H.W.I.N.N.I.S.G (Van hard werken is nog nooit iemand slechter geworden) zijn de volgende gegevens bekend:
De oude verkoopprijs van het thuisshirt is € 60.
Bij deze prijs worden 3000 shirts verkocht. De nieuwe verkoopprijs van het thuisshirt wordt € 63.
De nieuwe hoeveelheid verkochte thuisshirts wordt 2700.

a Bereken de procentuele verandering van de prijs.

b Bereken de procentuele verandering van de hoeveelheid.

3 Na een jaar hard werken gaat Wouters inkomen omhoog van € 1300 per maand naar € 1320 per maand.
Hoeveel procent is Wouter er op vooruit gegaan?

4 Van een product is bekend dat de omzet het afgelopen jaar is gestegen van € 400 000 naar € 450 000. De verkoopprijs is het afgelopen jaar gestegen van € 8 naar € 10.
Bereken de procentuele verandering van de afzet.

5 Een winkelier verhoogt de prijs met 10%.
Echter door deze prijsverandering ziet hij zijn klanten massaal overstappen naar de concurrent. Hij besluit vervolgens zijn (nieuwe) prijs weer met 10% te verlagen.
Hoe groot is na de prijsverlaging de prijsverandering ten opzichte van de originele prijs?

6.6 Prijselasticiteit

De **prijselasticiteit** is een getal dat aangeeft welk effect de verandering van de prijs van een product heeft op de afzet van dat product.

Voorbeeld 1

De prijs van een mobiele telefoon is gestegen van € 80 naar € 90.
De vraag naar deze mobiele telefoon is hierdoor gedaald van 500 stuks naar 375 stuks.

Het verband tussen de daling van de vraag en de stijging van de prijs geef je aan met de prijselasticiteit:

$$\textit{Prijselasticiteit} = \frac{\textit{Procentuele verandering afzet}}{\textit{Procentuele verandering prijs}}.$$

In het geval van voorbeeld 1:

$$\textit{Proc. verandering afzet} = \frac{375 - 500}{500} \times 100\% = \frac{-125}{500} \times 100\% = -25\%.$$

$$\textit{Procentuele verandering prijs} = \frac{90 - 80}{80} \times 100\% = \frac{10}{80} \times 100\% = +12{,}5\%$$

Voor de mobiele telefoon vind je dus: *prijselasticiteit* = $\frac{-25}{+12{,}5} = -2$.

Je kunt twee soorten producten onderscheiden:

- Een product waarvan de prijselasticiteit een getal is tussen 0 en –1 heet een **inelastisch product**. In dit geval is de (absolute waarde van de) procentuele verandering van de oorzaak (prijsverandering) groter dan de (absolute waarde van de) procentuele verandering van het gevolg (afzetverandering).
- Een product waarvan de prijselasticiteit kleiner is dan –1 heet een **elastisch product**. Voor zo'n product is de (absolute waarde van de) procentuele verandering van de oorzaak (prijsverandering) kleiner dan de (absolute waarde van de) procentuele verandering van het gevolg (afzetverandering).

De mobiele telefoon van voorbeeld 1, is een voorbeeld van een *elastisch product* want $-2 < -1$.

Opgaven

1 Vorig jaar was de prijs van een product € 20. De gevraagde hoeveelheid was 8 000 stuks. Dit jaar was de prijs € 22. Daardoor verminderde de gevraagde hoeveelheid met 2 000 stuks.
a Bereken de prijselasticiteit van dit product.
b Is dit een elastisch of een inelastisch product?

2 Een prijsverlaging van € 60 naar € 51, zorgt voor een hoeveelheidverandering van 40 000 stuks naar 48 000 stuks.
a Bereken de prijselasticiteit van dit product.
b Is dit een elastisch of een inelastisch product?

3 De nieuwe omzet is € 270 000. Dit is een omzet toename van € 40 000. In dezelfde periode is de prijs gestegen van € 125 naar € 180.
a Bereken de prijselasticiteit van dit product.
b Is dit een elastisch of een inelastisch product?

4 De oude prijs per stuk was € 12, de nieuwe prijs per stuk is € 15.
De prijselasticiteit is –0,8.
Bereken de procentuele verandering van de hoeveelheid als gevolg van de prijsverandering.

5 De oude verkochte hoeveelheid was 18 000 stuks.
De nieuwe verkochte hoeveelheid is 21 600. De prijselasticiteit is –2.
Bereken de nieuwe prijs, als bekend is dat de oude prijs € 20 was.

6 In 2006 bedroeg de omzet € 800 000.
In 2006 was de prijs per eenheid € 25. De prijselasticiteit is –1,8.
Per 1 januari 2007 wordt de prijs met 15% verhoogd.
Wat zal, volgens deze gegevens, de omzet in 2007 worden?

7 In 2006 bedroeg de omzet € 900 000.
In 2006 was de prijs per eenheid € 15. De prijselasticiteit is –0,8.
Per 1 januari 2007 wordt de prijs met 10% verlaagd.
Wat zal, volgens deze gegevens, de omzet in 2007 worden?

6.7 Kruislingse prijselasticiteit

De **kruislingse prijselasticiteit** is een getal dat aangeeft welk effect de verandering van de prijs van het ene product heeft voor de verkoop van het andere product. Je berekent dat getal met de formule:

$$Kruislingse\ prijselasticiteit = \frac{Procentuele\ verandering\ afzet\ Y}{Procentuele\ verandering\ prijs\ X}.$$

Voorbeeld 1

De prijs van een mobiele telefoon merk Samsia is gestegen van € 80 naar € 90. De vraag naar mobiele telefoon merk Nosung is hierdoor gestegen van 300 stuks naar 318 stuks.

Het verband tussen de stijging van de vraag naar Nosung (Y) en de prijsverandering van Samsia (X), geef je aan met de kruislingse prijselasticiteit:

In dit geval:

Procentuele verandering afzet Nosung $= \frac{318-300}{300} \times 100\% = \frac{18}{300} \times 100\% = +6\%$.

Procentuele verandering prijs Samsia $= \frac{90-80}{80} \times 100\% = \frac{10}{80} \times 100\% = +12{,}5\%$.

Het resultaat wordt dus:

Kruislingse *prijselasticiteit* $= \frac{+6}{+12{,}5} = +0{,}48$.

Als de kruislingse prijselasticiteit:

- positief is, is er sprake van een **substitutiegoed** (dus de producten zijn in ogen van de consument onderling verwisselbaar).
- negatief is, is er sprake van een **complementair goed** (dus de producten vullen elkaar aan).
- 0 is, is er sprake van een **indifferent / neutraal / onafhankelijk goed** (dus de producten beïnvloeden elkaar niet).

De relatie tussen de Nosung en Samsia van voorbeeld 1, is dus die van een substitutiegoed, want 0,48 > 0 (dus positief).

Opgaven

1 Het merk Adike staat bekend vanwege het maken van sportschoenen. De oude verkoopprijs bedroeg € 95, de nieuwe verkoopprijs bedraagt € 80. Het merk Nidas heeft als gevolg hiervan de verkochte hoeveelheid zien dalen van 500 paar naar 400 paar sportschoenen.

a Bereken de kruislingse prijselasticiteit.

b Is de relatie tussen Adike en Nidas die van substitutiegoed, complementair goed of indifferent goed?

2 Als gevolg van een stijging van de prijs van een pak koffie van € 3 naar € 3,30 is een stijging in de afzet van thee waargenomen van 5%.

a Bereken de kruislingse prijselasticiteit.

b Is de relatie tussen thee en koffie die van substitutiegoed, complementair goed of indifferent goed?

3 Als gevolg van een stijging in de prijs van een bepaald product van € 20 naar € 25, is de afzet van een ander product gedaald van 50 000 stuks naar 48 000 stuks.

a Bereken de kruislingse prijselasticiteit.

b Is hier sprake van substitutiegoed, complementair goed, of indifferent goed?

4 Uit onderzoek is gebleken dat de kruislingse prijselasticiteit tussen koffie en koffiemelk –0,5 is. De prijs van een pak koffie stijgt van € 3 naar € 3,15. Bij een prijs van € 3 werden 20 000 flesjes koffiemelk verkocht. Hoeveel flesjes koffiemelk zullen, naar verwachting, in de komende periode verkocht worden?

5 De volgende prijzen en verkochte hoeveelheden van twee merken (Dusty en Dylan) zijn bekend:

	Dusty	Dylan
Oude prijs	€ 2	€ 2,20
Oude hoeveelheid	8000	9000
Nieuwe prijs	€ 1,80	€ 2,20
Nieuwe hoeveelheid	8500	8800

Hoe groot is de kruislingse prijselasticiteit tussen Dusty en Dylan (als overige relevante omstandigheden gelijk zijn gebleven)?

6.8 Inkomenselasticiteit

De **inkomenselasticiteit** is een getal dat aangeeft welk effect de verandering van het inkomen heeft op de verkoop van een product.
Je berekent dat getal met de formule:

$$Inkomenselasticiteit = \frac{Procentuele\ verandering\ afzet}{Procentuele\ verandering\ inkomen}.$$

Voorbeeld 1
De afgelopen periode is het besteedbare inkomen gestegen van € 20 000 naar € 25 000.
Als gevolg hiervan is de gevraagde hoeveelheid naar een bepaald product gestegen van 5 stuks naar 6 stuks.

Het verband tussen de verandering van het inkomen en de verandering van de verkoop, geef je aan met de inkomenselasticiteit:

In dit geval komt er:
Procentuele verandering afzet = $\frac{6-5}{6} \times 100\% = \frac{1}{6} \times 100\% = +16{,}7\%$.

Procentuele verandering inkomen = $\frac{25\,000 - 20\,000}{20\,000} \times 100\% = \frac{5000}{20\,000} \times 100\% = 25\%$.

De inkomenselasticiteit wordt dus: $\frac{16{,}7}{25} = 0{,}67$.

Als de uitkomst van de inkomenselasticiteit voor een zeker product:
- negatief is, heb je te maken met een **inferieur product**;
- tussen 0 en 1 zit, heb je te maken met een **noodzakelijk product**;
- groter is dan 1, heb je te maken met een **luxe product**.

Het product van voorbeeld 1, is dus een *noodzakelijk product*, want $0 < 0{,}67 < 1$.

Opgaven

1 De afgelopen periode is het besteedbare inkomen gestegen van € 12 000 naar € 15 000. Als gevolg hiervan is de gevraagde hoeveelheid naar een bepaald product gestegen van 50 stuks naar 75 stuks.
- **a** Bereken de inkomenselasticiteit voor dat product.
- **b** Is dit product een inferieur, noodzakelijk of luxe goed?

2 De afgelopen periode is het besteedbare inkomen gestegen van € 40 000 naar € 50 000. Als gevolg hiervan is de gevraagde hoeveelheid naar een bepaald product gedaald van 250 stuks naar 225 stuks.
- **a** Bereken de inkomenselasticiteit voor dat product.
- **b** Is dit product een inferieur, noodzakelijk of luxe goed?

3 De afgelopen periode is het besteedbare inkomen gestegen van € 6000 naar € 9000. Als gevolg hiervan is de gevraagde hoeveelheid van een bepaald product gestegen van 25 stuks naar 30 stuks.
- **a** Bereken de inkomenselasticiteit van dat product.
- **b** Is dit product een inferieur, noodzakelijk of luxe goed?

4 Voor Petra is gehakt een inferieur product.
De inkomenselasticiteit van de vraag naar gehakt is voor haar –0,8.
Voorheen kocht ze normaal gesproken 800 gram gehakt per week.
Vanaf 1 januari gaat ze 5% meer verdienen.
Hoeveel gram gehakt gaat ze voortaan per week kopen?

5 Bob heeft uitgerekend dat de inkomenselasticiteit voor hem voor sigaretten 2 is. Omdat hij meer tijd aan zijn studie is gaan besteden en in het weekend minder is gaan werken, is zijn besteedbare inkomen gedaald van € 200 naar € 150 per maand.
Hij kocht voorheen 300 sigaretten per maand.
Hoeveel sigaretten gaat Bob voortaan per maand kopen?

7.1 Kengetallen

Voorbeeld 1

Bij een winkelier was de inkoopwaarde van de beginvoorraad € 4000.
De eindvoorraad (eveneens tegen inkoopprijzen) was € 6000 waard.
De omzet in inkoopprijzen (exclusief BTW) bedroeg € 32 500.

De **omloopsnelheid** van de voorraad in deze periode is te berekenen door de omzet in inkoopprijzen te delen door de gemiddelde voorraad.

De gemiddelde voorraad is $\frac{€4000 + €6000}{2} = €5000$.

De *omloopsnelheid* van de voorraad $= \frac{32\,500}{5000} = 6{,}5$.

De *omloopsnelheid* is een voorbeeld van een **kengetal**.
Kengetallen zijn verhoudingsgetallen. Je berekent ze met een speciale formule. Ze hebben altijd een eigen naam.
Soms zorgt het door elkaar gebruiken van begrippen voor verwarring.
Zo worden de begrippen verhoudingsgetallen, ratio's en kengetallen geregeld door elkaar gebruikt.

Voorbeeld 2

Financieringstekorten van de collectieve sector zorgen voor groei van de staatsschuld. In het kader van internationale vergelijkbaarheid wordt de staatsschuld uitgedrukt in verhouding tot het **Bruto Binnenlands Product** (BBP).
Van een land is bekend dat het BBP € 400 miljard is. Ook is bekend dat de staatsschuld € 280 miljard is. De **staatsschuldquote** kun je berekenen met de formule:

$$Staatsschuldquote = \frac{Staatsschuld}{BBP} = \frac{280}{400} = 0{,}7.$$

Voorbeeld 3

De **i/a-ratio** wordt soms gebruikt om een standpunt over de sociale uitkeringen te onderbouwen. Bij de i/a-ratio gaat het om de verhouding van de inactieven ten opzichte van de actieven. Als er bijvoorbeeld 2 miljoen inactieven zijn en 5 miljoen actieven, geldt:

$$\text{i/a-ratio} = \frac{inactieven}{actieven} = \frac{2\ mln}{5\ mln} = 0{,}4.$$

Opgaven

1 Bij een winkelier was de inkoopwaarde van de beginvoorraad € 8000. De eindvoorraad (eveneens tegen inkoopprijzen) was € 6000 waard. De omzet in inkoopprijzen (exclusief BTW) bedroeg € 28 000. Bereken de omloopsnelheid van de voorraad.

2 De inkoopwaarde van de beginvoorraad van een bepaald product is € 18 000. De eindvoorraad is € 12 000.
De omzet in deze periode is € 150 000 (exclusief BTW). Er geldt een brutowinstmarge van 20% van de omzet (exclusief BTW).
Bereken de omloopsnelheid.

3 Van een land is bekend dat het BBP € 750 miljard is. Ook is bekend dat de staatsschuld € 450 miljard is.
Bereken de staatsschuldquote voor dit land.

4 Stel er geldt als eis dat de staatsschuldquote maximaal 70% mag zijn. Als het BBP van een land € 360 miljard is, hoe groot mag dan maximaal de staatsschuld worden?

5 Ondanks het beleid van de regering zijn er van de beroepsbevolking van 7,2 miljoen mensen nog altijd 1,8 miljoen mensen niet actief. Bereken de i/a-ratio.

7.2 Activiteitskengetallen

Dupont Schema

Het **Dupont Schema** is een hulpmiddel om na te gaan welke invloed de verandering van een bedrijfseconomisch onderdeel heeft op de rentabiliteit van het totale vermogen. Het Dupont schema helpt je om overzicht te houden.

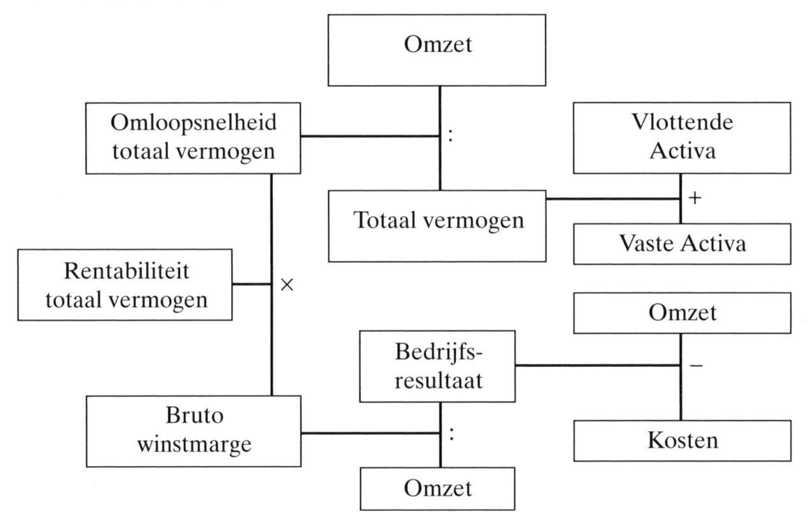

Voorbeeld 1

Van een handelsonderneming is dankzij de balans bekend dat de vaste activa € 3 000 000 bedragen en de vlottende activa € 1 500 000. Dankzij de resultatenrekening is bekend dat bedrijfsresultaat afgelopen jaar € 500 000 was bij een omzet van € 2 000 000. Nu volgt:

$$\text{Omloopsnelheid Totaal Vermogen} = \frac{2\,000\,000}{4\,500\,000} = 0{,}44.$$

$$\text{Brutowinstmarge} = \frac{500\,000}{2\,000\,000} = 0{,}25.$$

$$\text{Rentabiliteit Totaal Vermogen} = 0{,}44 \times 0{,}25 = 0{,}11.$$

Opgaven

1 Van handelsonderneming REBAH is dankzij de balans bekend dat de vaste activa € 2 500 000 bedragen en de vlottende activa € 500 000. Dankzij de resultatenrekening is bekend dat bedrijfsresultaat afgelopen jaar € 1 500 000 was bij een omzet van € 6 000 000.

a Hoe groot is het totaal vermogen van REBAH?
b Bereken de omloopsnelheid van het Totaal Vermogen voor REBAH.
c Bereken de brutowinstmarge voor REBAH.
d Bereken het Rentabiliteit Totaal Vermogen voor REBAH.

2 Van handelsonderneming Vomisa is bekend dat de vaste activa € 500 000 bedragen en de vlottende activa € 250 000. Dankzij de resultatenrekening is bekend dat het bedrijfsresultaat afgelopen jaar € 300 000 was bij een omzet van € 1 500 000.

a Hoe groot is het totaal vermogen van Vomisa?
b Bereken de omloopsnelheid van het Totaal Vermogen voor Vomisa.
c Bereken de brutowinstmarge voor Vomisa.
d Bereken het Rentabiliteit Totaal Vermogen voor Vomisa.

3 Van handelsonderneming De Kramer BV is dankzij de balans van 2006 bekend dat de vaste activa € 800 000 bedragen en de vlottende activa € 200 000.
Dankzij de resultatenrekening is bekend dat in 2006 het bedrijfsresultaat € 80 000 was bij een omzet van € 400 000.

a Bereken het Rentabiliteit Totaal Vermogen voor De Kramer BV voor 2006.

In 2007 zal er efficiënter gewerkt gaan worden. De directie verwacht hierdoor € 20 000 minder kosten te maken. Voor de rest verwacht de directie geen veranderingen.

b Bereken het te verwachten bedrijfsresultaat voor 2007.
c Wat is het gevolg van de verbeterde efficiency voor het Rentabiliteit Totaal Vermogen?

7.3 Distributiekengetallen

I Ook **distributiekengetallen** kun je schematisch overzichtelijk ordenen.

Voorbeeld 1

Er zijn in totaal 8000 winkels die televisies verkopen. Hiervan hebben 2000 winkels 'ons merk' in het assortiment. De totale omzet aan tv's is € 750 miljoen. De tv omzet bij winkels die 'ons merk' in het assortiment hebben is € 150 miljoen. De tv omzet van 'ons merk' is € 100 miljoen.

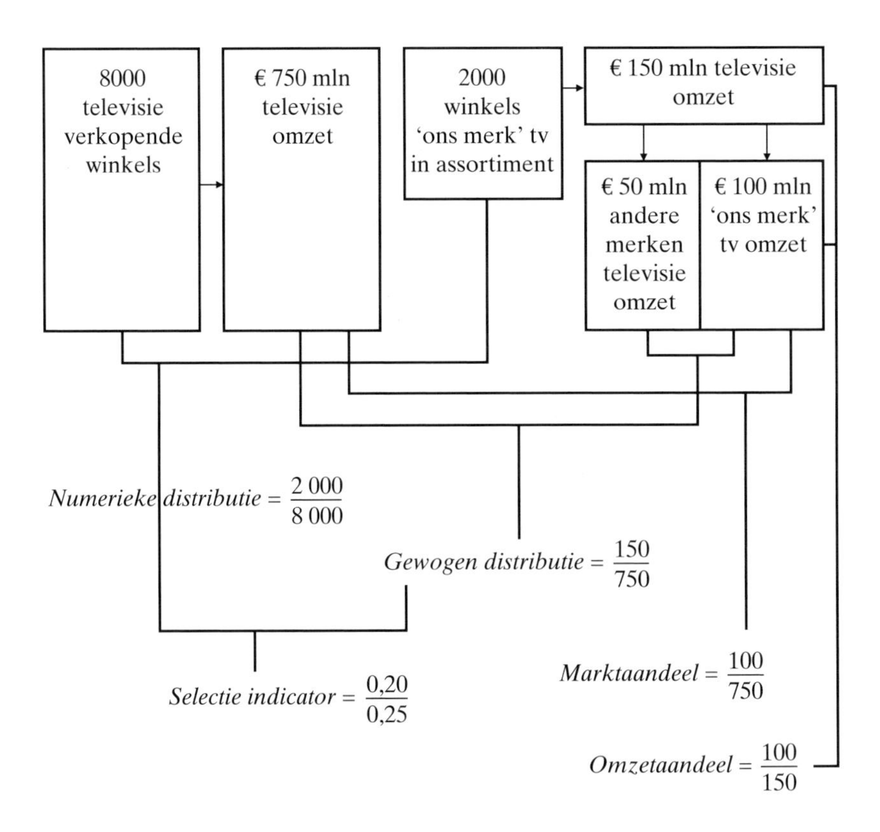

Opgaven

1 Het distributiebeleid van het merk Oceangate, bekend van de USB-sticks, moet worden geëvalueerd. Hiervoor zijn de volgende gegevens verzameld: Er zijn 1000 verkooppunten voor USB sticks. De totale omzet in USB sticks is € 80 000.
Er zijn 9000 verkooppunten die USB sticks van het merk Oceangate verkopen. Deze verkooppunten zetten in totaal voor € 500 000 aan USB sticks om. Hiervan is € 200 000 voor rekening van het merk Oceangate.

- **a** Bereken de numerieke distributie voor Oceangate.
- **b** Bereken de gewogen distributie voor Oceangate.
- **c** Bereken de selectie-indicator voor Oceangate.
- **d** Bereken het omzetaandeel voor Oceangate.
- **e** Bereken het marktaandeel voor Oceangate.

2 In 8000 winkels worden horloges verkocht.
De totale omzet in horloges bedraagt € 2 miljoen. Xolar-horloges worden verkocht in 400 winkels. De totale omzet in horloges bij de winkels die Xolar-horloges verhandelen bedraagt € 0,5 miljoen.
De omzet in Xolar-horloges bedraagt € 300 000.
Wat is de selectie-indicator voor Xolar-horloges?

3 In de sportschoenenmarkt, met een totaalomzet van € 600 miljoen, wordt het merk Nidas uitsluitend verkocht door 200 sportspeciaalzaken.
De omzet van Nidas bedraagt € 25 miljoen. Deze speciaalzaken hebben, vergeleken met alle 4000 winkels die schoenen verkopen, een 40% hogere omzet.
Wat is de gewogen distributie van Nidas?

4 De frisdrank Cosi Cola wordt verkocht door 80% van de potentiële verkooppunten.
Bij die 80% heeft Cosi Cola een aandeel in de totale frisdrankomzet van 60%. De verkooppunten met Cosi Cola verkopen gemiddeld 10% meer frisdrank dan de totale gemiddelde frisdrankomzet per verkooppunt.
Bereken de gewogen distributie.

Met de cd-rom kun je verder oefenen

7.4 Indexcijfers

Enkelvoudig indexcijfer

Een **enkelvoudig indexcijfer** geeft de verhouding aan tussen de nieuwe en de oude waarde van één grootheid. Dit getal geeft de relatieve waarde weer op een bepaald moment, ten opzichte van de waarde op een eerder moment. Dat eerdere moment is het referentietijdstip of **basisjaar**. Voor de waarde in dat basisjaar kies je altijd het indexcijfer 100.

$$\text{Indexcijfer} = \frac{\textit{nieuwe waarde}}{\textit{oude waarde}} \times 100.$$

Voorbeeld 1

De prijs van een product verandert van € 10 naar € 13. Het bij de nieuwe prijs behorende indexcijfer is:

$$\text{Indexcijfer (nieuwe prijs)} = \frac{\textit{Nieuwe prijs}}{\textit{Oude prijs}} \times 100 = \frac{13}{10} \times 100 = 130.$$

De nieuwe prijs is dus met 30% gestegen ten opzichte van de oude prijs.

Meervoudig indexcijfer

Een **meervoudig indexcijfer** krijg je door twee indexcijfers door elkaar te delen.

Voorbeeld 2

Het nominale inkomen (inkomen uitgedrukt in euro's) van Sjia stijgt met 10%. Het algemene prijsniveau is met 5% gestegen.
Hoe groot is dan de verandering van het reële inkomen (de koopkracht)?

Indexcijfer nominaal inkomen = 100 + 10 = 110.
Prijsindexcijfer = 100 + 5 = 105.

$$\text{Indexcijfer reëel inkomen} = \frac{\textit{Indexcijfer nominaal inkomen}}{\textit{Prijsindexcijfer}} \times 100 = \frac{110}{105} \times 100 = 104{,}8.$$

Dit betekent dat het reële inkomen (de koopkracht) van Sjia met 4,8% (= 104,762 – 100) is gestegen ten opzichte van het basisjaar.

Opgaven

1 Bereken het indexcijfer van de nieuwe waarde van de prijs van een product. Gegeven is dat:

a de nieuwe prijs 25% hoger is dan de oude prijs;
b de oude prijs € 50 is en de nieuwe prijs € 60;
c de oude prijs € 43 is en de nieuwe prijs € 63;
d de nieuwe prijs 3% lager is dan de oude prijs.

2 Bepaal de relatieve stijging of daling van de prijs in procenten. Gegeven is dat het indexcijfer van de nieuwe prijs gelijk is aan:

a 210
b 86,3
c 100
d 165

3 Bereken hoeveel procent de skateboardprijs in 2006 gestegen of gedaald is ten opzichte van 2004.
Gegeven is dat in 2004 het prijsindexcijfer van een skateboard 98,2 was en dat in 2006 het prijsindexcijfer van een skateboard 102,7 was.

4 In 2004 is het prijsindexcijfer van koffie 105. In 2005 bedroeg de prijsstijging 2% en in 2006 was die stijging 3%.
Bereken het prijsindexcijfer van koffie in 2006.

5 In 2005 heeft een ondernemer een omzet van € 2000.
Hij verwacht voor 2006 een omzet indexcijfer van 125.
Bereken de verwachte omzet in 2006.

6 In de tabel staan de prijzen van een spijkerbroek aangegeven in de periode 2003-2006.

Jaar	2003	2004	2005	2006
Prijs spijkerbroek	40	44	47	50

a Bereken het prijsindexcijfer van een spijkerbroek in 2005 ten opzichte van 2003.
b Bereken het prijsindexcijfer van een spijkerbroek in 2006 ten opzichte van 2005.
c De totale prijsstijging van een spijkerbroek in 2006 ten opzichte van het jaar 2003 is 25%. Hoe kun je dat uit de bij a en b berekende indexcijfers afleiden?

Met de cd-rom kun je verder oefenen

7.5 Samengesteld prijsindexcijfer

Bij het bepalen van de koopkracht geef je een bepaald gewicht aan de verschillende uitgavenposten.
Je maakt dan gebruik van het **samengestelde prijsindexcijfer**.
Om het samengestelde prijsindexcijfer te verkrijgen, moet je voor elke groep het prijsindexcijfer vermenigvuldigen met het aandeel van die groep ten opzichte van het totaal van de bestedingen.
Op deze wijze bepaal je bijvoorbeeld het samengestelde prijsindexcijfer (2006) van de totale consumptie ten opzichte van het basisjaar (2005).

Voorbeeld 1

In de onderstaande tabel staan verschillende groepen consumptieve bestedingen en het bijbehorende prijsindexcijfer in het jaar 2006 ten opzichte van het basisjaar 2005.

Groep	Bedrag (€)	Uitgaven (in %)	Prijsindex Cijfer (2006)
Voeding	9000	36	120
Kleding	5000	20	150
Huisvesting	7000	28	125
Diversen	4000	16	115
Totaal	**25000**	**100%**	

Dus:

$$\textit{Samengesteld prijsindexcijfer} = \frac{36 \times 120 + 20 \times 150 + 28 \times 125 + 16 \times 115}{100} =$$

126,6

Opgaven

1 In onderstaande tabel is opgenomen het bestedingspatroon van een Nederlands werknemersgezin in 2006, met bijbehorende prijsindexcijfers.

Tabel: Consumptieve bestedingen van een werknemersgezin

Groep	Uitgaven in procenten	Prijsindexcijfer 2005	Prijsindexcijfer 2006
Voeding	30	120	125
Kleding	10	150	155
Vakanties	10	110	135
Huisvesting	25	125	135
Diversen	25	115	115
Totaal uitgaven	**100%**		

a Bereken het samengestelde prijsindexcijfer van de totale consumptie in 2005 en in 2006.

b Bereken met hoeveel procent de totale kosten van levensonderhoud in 2006 zijn toegenomen ten opzichte van 2005.

c Een bepaald werknemersgezin gaat nooit met vakantie en besteedt het uitgespaarde geld aan de groep diversen. Was de toename van de totale kosten van levensonderhoud van dit gezin lager of hoger dan dat van een gemiddeld werknemersgezin? Verklaar het antwoord.

2 In onderstaande tabel is opgenomen het bestedingspatroon van een Vlaams werknemersgezin in 2006, met het bijbehorende prijsindexcijfer van het jaar 2005 en van het jaar 2006.

Tabel: Consumptieve bestedingen van een werknemersgezin

Groep	Uitgaven in procenten	Prijsindexcijfer 2005	Prijsindexcijfer 2006
Voeding	30	110	113
Kleding	10	110	108
Vakanties	10	105	106
Huisvesting	*X*	110	*Y*
Diversen	25	96	98
Totaal			**108,5**

a Bepaal welk aandeel huisvesting dient te hebben (getal *X* in de tabel).

b Bereken het samengestelde prijsindexcijfer voor 2005.

c Bereken het prijsindexcijfer voor Huisvesting in 2006 (getal *Y* in de tabel).

8.1 Rekenkundige reeks

Een **rekenkundige reeks** is een serie getallen waarvan elk volgend getal gelijk is aan het vorige getal plus een **constant verschil** v.
Als dat constante verschil positief is, is de reeks **stijgend**. Is het constante verschil negatief, dan is de reeks **dalend**.
De rekenkundige reeks kom je tegen bij enkelvoudige interest (zie verderop in dit hoofdstuk).

Van een reeks met een constant verschil v kun je het getal op de i-de plaats berekenen met de formule:
$getal_i = getal_1 + (i - 1) \times v$.

Voorbeeld 1

- Een voorbeeld van een **stijgende rekenkundige reeks** is:
  2, 6, 10, 14, 18, 22, 26, 30, 34, 38, 42, 46, 50.
  Het eerste getal van deze reeks is 2. Het **constante verschil** is 4.
  Voor het 6^e^ getal g_6 geldt hier:
  $g_6 = eerste\ getal + 5 \times v = 2 + 5 \times 4 = 22$.
- Een voorbeeld van een **dalende rekenkundige reeks** is:
  40, 37, 34, 31, 28, 25, 22, 19, 16, 13, 10, 7.
  Voor het zesde getal geldt nu:
  $g_6 = 40 + 5 \times (-3) = 40 - 15 = 25$.

Somformule van een rekenkundige reeks

Als een rekenkundige reeks n getallen heeft dan geldt voor de som van deze n getallen:
$Som\ rekenkundige\ reeks = \frac{1}{2} \times n \times (getal_1 + getal_n)$.

Voorbeeld 2

In het eerste voorbeeld is de reeks:
2, 6, 10, 14, 18, 22, 26, 30, 34, 38, 42, 46, 50.

De som van deze reeks van 13 getallen is:

$Som\ rekenkundige\ reeks = \frac{1}{2} \times n \times (getal_1 + getal_n) =$

$\frac{1}{2} \times 13 \times (2 + 50) = 338$.

Opgaven

1 Gegeven is de volgende rekenkundige reeks:
0, 3, 6, 9, 12, 15, 18, 21, 24, 27, 30, 33, 36, 39, 42, 45.

a Bepaal het constante verschil v van deze reeks.

b Bepaal de som van deze reeks.

2 Gegeven is de volgende rekenkundige reeks:
$5, 4\frac{1}{2}, 4, 3\frac{1}{2}, 3, 2\frac{1}{2}, 2, 1\frac{1}{2}, 1, \frac{1}{2}, 0, -\frac{1}{2}, -1, -1\frac{1}{2}, -2.$

a Bepaal het constante verschil v van deze reeks.

b Bepaal de som van deze reeks.

3 Gegeven is dat het constante verschil 5 is.

a Het eerste getal is 9. Bepaal de waarde van het 100e getal in deze reeks.

b Bepaal de som van de eerste 100 getallen van deze reeks.

4 Leonie lost iedere maand € 10 meer af dan de vorige maand.
De eerste aflossing was een bedrag van € 50. Het bedrag dat ze geleend had was € 15 000.

a Welk bedrag lost Leonie bij de 40^e aflossing af?

b Welk bedrag heeft Leonie na de 40^e aflossing totaal afgelost?

c Welk bedrag is Leonie nog schuldig na de 40^e aflossing?

5 Van een rekenkundige reeks is bekend dat het vierde getal in de reeks 47 is en dat het tiende getal in de reeks 77 is.

a Bereken het constante verschil in deze reeks.

b Wat is de waarde van het 100e getal in deze reeks?

c Hoe groot is de som van de eerste 100 getallen van deze reeks?

Met de cd-rom kun je verder oefenen

8.2 Meetkundige reeks

Een **meetkundige reeks** is een serie getallen waarvan elk volgend getal gelijk is aan een constante maal het vorige getal.
Het constante getal van de vermenigvuldiging heet de **reden** van de reeks.
Je maakt van het begrip **meetkundige reeks** vooral gebruik bij samengestelde interest en bij annuïteiten

Voorbeeld 1
De reeks:
2, 6, 18, 54, 162, 486
is een voorbeeld van een meetkundige reeks.

Begin je met het eerste getal (2), dan krijg je elk volgend getal door het voorafgaande getal met 3 te vermenigvuldigen.

Immers: $6 = 3 \times 2$; $18 = 3 \times 6$; $54 = 3 \times 18$; $162 = 3 \times 54$.
In deze reeks is de **reden** dus 3.
De reden heet ook wel de **constante groeifactor**.

Somformule van een meetkundige reeks

De som van een meetkundige reeks bereken je met de formule:

$$\textit{Som meetkundige reeks} = t_1 \times \frac{1-r^n}{1-r}.$$

Hierin is:
t_1 het eerste getal van de reeks.
r de reden van de reeks.
n het aantal getallen van de reeks.

Voorbeeld 2
In het eerste voorbeeld staat de reeks: 2, 6, 18, 54, 162, 486.

Voor deze reeks van zes getallen geldt: $\textit{som} = 2 \times \frac{1-3^6}{1-3} = 2 \times \frac{728}{2} = 728$.

Dit kun je door gewoon optellen controleren.
Het zal duidelijk zijn dat de somformule vooral handig is bij grote aantallen getallen van een reeks.

Opgaven

1 Gegeven is de reeks:
1, 2, 4, 8, 16, 32, 64, 128, 256.
a Bepaal de reden van deze reeks.
b Bepaal de som van deze reeks.

2 Gegeven is de reeks:
$16, 8, 4, 2, 1, \frac{1}{2}, \frac{1}{4}$.
a Bepaal de reden van deze reeks.
b Bepaal de som van deze reeks.

3 Gegeven is de reeks:
$-\frac{1}{2}, 1, -2, 4, -8, 16, -32$.
a Bepaal de reden van deze reeks.
b Bepaal de som van deze reeks.

4 Puck krijgt 4% interestvergoeding per jaar op haar spaargeld.
Hoe groot is de groeifactor van haar spaargeld per jaar?

5 Eke weet dat de groeifactor per jaar 1,12 is.
Hoe groot is de procentuele groei per jaar?

Met de cd-rom kun je verder oefenen

8.3 Enkelvoudige interest

Bij **enkelvoudige interest** wordt de interestvergoeding bepaald door alleen rekening te houden met het oorspronkelijke bedrag.
Voor de berekening van het interestbedrag bij een rentepercentage van i% per jaar gebruik je de formule:

$$(\textit{Enkelvoudige})\ \textit{Interest} = \textit{Kapitaal} \times \frac{i}{100} \times \textit{tijd in jaren}.$$

Voorbeeld 1
Je leent een bedrag van € 500 voor een periode van 3 jaar tegen 4% enkelvoudige interest per jaar.
In 3 jaar betaal je dan aan interest:

$$500 \times \frac{4}{100} \times 3 = \frac{6000}{100} = € 60.$$

Na 3 jaar moet je een bedrag van € 560 terugbetalen.
Dit is € 500 aflossing en € 60 interestvergoeding.

Voorbeeld 2
Je zet een bedrag van € 3000 op een spaarrekening tegen 5% enkelvoudige interest per jaar. Het bedrag staat van 7 januari 2007 tot en met 20 december 2007 op de spaarrekening.

Als je moet uitgaan van een renteperiode in dagen, dan telt de eerste dag wel mee en de laatste dag niet. Het aantal rentedagen is dan:

in januari 25;	in februari 28;	in maart 31;	in april 30;
in mei 31;	in juni 30;	in juli 31;	in augustus 31;
in september 30;	in oktober 31;	in november 30;	in december 19.

Totaal aantal rentedagen is 347.

Het bedrag dat aan interest wordt ontvangen is dan:

$$3000 \times \frac{5}{100} \times \frac{347}{365} = \frac{5\,205\,000}{36\,500} = € 142{,}60.$$

Op 20 december 2007 staat er een bedrag van € 3142,60 op de spaarrekening.

Opgaven

1 Eke stort een bedrag van € 600 voor een periode van 5 jaar tegen 4% enkelvoudige interest per jaar.

a Welk bedrag ontvangt Eke na 5 jaar aan interest?

b Welk bedrag staat er op het spaarbankboekje van Eke na 5 jaar?

2 Puck stort een bedrag van € 200 voor een periode van 3 jaar tegen 0,5% enkelvoudige interest per maand.

a Welk bedrag ontvangt Puck na 3 jaar aan interest?

b Welk bedrag staat er op het spaarbankboekje van Puck na 3 jaar?

3 Christiaan stort een bedrag van € 50 voor een periode van 6% enkelvoudige interest per jaar.

a Welk bedrag ontvangt Christiaan na 7 maanden aan interest?

b Welk bedrag staat er op het spaarbankboekje van Christiaan na 7 maanden?

4 Op 16 februari 2007 leent Michel € 800 tegen 9% enkelvoudige interest. Welk bedrag moet hij op 18 augustus 2007 in totaal terugbetalen?

8.4 Samengestelde interest

Bij **samengestelde interest** wordt de interestvergoeding bepaald door het oorspronkelijke bedrag en door de tijdens de looptijd gekweekte rente. In de tabel hieronder zie je hoe een kapitaal K groeit dat uitstaat tegen een **samengestelde interest** van 5% per jaar:

tijd (jaren)	0	1	2	3	4	5
kapitaal	K	$K \cdot 1{,}05$	$K \cdot 1{,}05^2$	$K \cdot 1{,}05^3$	$K \cdot 1{,}05^4$	$K \cdot 1{,}05^5$

Je kunt het bedrag dat in totaal moet worden betaald, berekenen met de formule:
$\textit{Eindbedrag} = \textit{oorspronkelijke bedrag} \times \textit{groeifactor}^{\textit{aantal perioden}}$

Voorbeeld 1
Je leent een bedrag van € 500 voor een periode van 3 jaar tegen 4% samengestelde interest per jaar.

De **groeifactor** is hier 1 + 4% = 1 + 0,04 = 1,04.

Na 3 jaar betaal je dus:

$\textit{Bedrag} = 500 \times (1{,}04)^3 = 500 \times 1{,}125 =$ € 562,43.

Dit is € 500 aflossing en € 62,43 interestvergoeding.

Opgaven

1 Leonie leent voor 8 jaar een bedrag van € 5000 tegen 2% samengestelde interest per jaar.

a Hoe groot is de groeifactor in dit geval?

b Welk bedrag moet na 8 jaar worden betaald?

c Hoe groot is het totale bedrag aan interest dat na 8 jaar is betaald door Leonie?

2 Petra stort een bedrag van € 800 op haar spaarrekening.
De eerste 3 jaar krijgt zij 4% samengestelde interest per jaar. Daarna krijgt zij voor een periode van 2 jaar 5% samengestelde interest per jaar.

a Welk bedrag heeft zij na 5 jaar op haar spaarrekening staan?

b Hoe groot is het totale bedrag aan interest dat na 5 jaar is ontvangen door Petra?

3 Iemand die de financiële bijsluiter niet goed leest kan aan het einde van de periode onaangenaam verrast worden over de hoogte van het bedrag.

a Christiaan koopt een bijzonder beleggingsproduct voor € 25 000. Hij krijgt een jaarlijkse vergoeding van 7% samengestelde interest per jaar. Het beleggingsproduct heeft een looptijd van 10 jaar.
Welk bedrag ontvangt hij na tien jaar?

b Christiaan heeft de financiële bijsluiter niet goed gelezen. In de kleine lettertjes staat dat er een 'administratievergoeding' van 40% over het ingelegde bedrag moet worden betaald.
Welk bedrag ontvangt hij nu na tien jaar?

c Hoe groot is het verschil tussen de antwoorden van vraag a en b?

4 Om na te gaan hoe lang het duurt voordat een bedrag (bij samengestelde interest) is verdubbeld, kun je een vuistregel (benaderingsformule) gebruiken. De benaderingsformule is:
verdubbelingstijd (in jaren) × *rentepercentage* ≈ 72.
Dit betekent: als de rente 2% per jaar is, duurt het 36 jaar tot een bedrag is verdubbeld.
Controleer hoeveel jaar het duurt voordat een bedrag is verdubbeld bij rentepercentage:

a 4% **b** 6% **c** 8%

8.5 Eindwaarde

Eindwaarde van één bedrag

Voorbeeld 1
Petra stort een bedrag van € 8000 bij een bank. De interestvergoeding bedraagt 4% per jaar. Na 5 jaar staat er op de bankrekening:
Eindwaarde = € 8000 × $(1{,}04)^5$ = € 8000 × 1,21... = € 9733,22.

Als het slechts om één startbedrag (of inleg) gaat kun je de omvang van het bedrag aan het einde van de looptijd berekenen met de formule:
$Eindwaarde = K \times \left(1 + \frac{i}{100}\right)^n$.
Hierin is i het rentepercentage in procenten per periode, K het startbedrag en n het aantal perioden.

Eindwaarde van een serie gelijke bedragen

Voorbeeld 2
Petra stort 5 jaar lang aan het begin van ieder jaar een bedrag van € 8000 bij een bank. De interestvergoeding bedraagt 4% per jaar.
Aan het einde van het 5e jaar staat er op de bankrekening:
Eindwaarde = 8000 × $(1{,}04)^5$ + 8000 × $(1{,}04)^4$ + 8000 × $(1{,}04)^3$ +
8000 × $(1{,}04)^2$ + 8000 × $(1{,}04)^1$. Korter:
Eindwaarde = € 8000 × ($1{,}04^5 + 1{,}04^4 + 1{,}04^3 + 1{,}04^2 + 1{,}04$).
De som van de reeks berekenen (zie de formule in paragraaf 8.2) geeft:
Eindwaarde = € 8000 × $1{,}04 \times \frac{1 - 1{,}04^5}{1 - 1{,}04}$ = € 8000 × 5,63... = € 45 063,80.
Conclusie: als op een bankrekening jaarlijks een bedrag van € 8000 wordt gestort en het interestpercentage is 4%, dan staat na 5 jaar een bedrag van € 45 063,80 op de rekening.

Als je elk jaar een vast bedrag K stort en het rentepercentage is constant i %, kun je het bedrag dat na n jaar op de rekening staat, berekenen met de formule:
$Eindwaarde = K \times \frac{\left(1 + \frac{i}{100}\right)^{n+1} - \left(1 + \frac{i}{100}\right)}{i}$.

Opgaven

1 Leonie leent voor 8 jaar een bedrag van € 5000 tegen 2% samengestelde interest per jaar.

a Hoe groot is de groeifactor per jaar in dit geval?

b Welk bedrag moet na 8 jaar worden betaald?

2 Bob belegt een bedrag van € 2000 in een project met een jaarlijks rendement van 7%.

a Hoe groot is de groeifactor per jaar in dit geval?

b Tot welk bedrag is deze investering uitgegroeid, aan het einde van het tiende jaar.

3 Christiaan ontvangt een erfenis van € 50 000.
Hij stort het bedrag op een bankrekening waarover 7% samengestelde interest per jaar vergoed wordt.
Tot welk bedrag is deze erfenis na 11 jaar uitgegroeid?

4 Joey belegt ieder jaar een bedrag van € 1 500.
Welk bedrag staat er na 6 jaar op zijn rekening als hij ieder jaar een rendement weet te behalen van 8%?

5 Puck belegt € 250 per jaar met een rendement van 6% per jaar.
De inleg gebeurt steeds aan het begin van het jaar.
Welk bedrag staat op de beleggingsrekening van Puck aan het einde van het tiende jaar?

6 Gerda stort ieder jaar een bedrag van € 200 op haar spaarrekening.
De eerste drie jaar krijgt ze 6% samengestelde interest, daarna krijgt ze twee jaar een vergoeding van 7% samengestelde interest en in het laatste jaar krijgt ze een vergoeding van 8% samengestelde interest.
Welk bedrag staat na 6 jaar op haar spaarrekening?

7 Op welke spaarrekening (met samengestelde interest) staat na 3 jaar het hoogste bedrag (als een gelijk bedrag gestort wordt):
Spaarrekening I: eerste jaar 8%, tweede jaar 10% en derde jaar 12%.
Spaarrekening II: eerste jaar 12%, tweede jaar 10% en derde jaar 8%.

8.6 Contante waarde

De **contante waarde** is de huidige waarde (dat wil zeggen de waarde op dit moment) van een *streefbedrag* in de toekomst. De berekening van de contante waarde is dus de omgekeerde van de berekening van de eindwaarde.

Contante waarde van één bedrag

Voorbeeld 1
Je wilt nu zoveel op een rekening zetten, dat op die rekening over 18 jaar een bedrag van € 25 000 staat. Met de bank spreek je af dat op het gestorte bedrag 7% samengestelde interest zal worden vergoed.
Het bedrag dat je nu moet storten is de **contante waarde** K_0 van het streefbedrag van € 25 000. Je rekent de contante waarde als volgt uit:
$€\,25\,000 = K_0 \times (1{,}07)^{18}$. Dus $K_0 = €\,25\,000 : (1{,}07)^{18} = €\,7396{,}60$.
In dit geval bedraagt de contante waarde van € 25 000 dus € 7396,60.
Als je nu € 7396,60 stort, staat over 18 jaar (bij een rentevergoeding van 7% per jaar) een bedrag van € 25 000 op de bankrekening.

Als de rentevergoeding *i* % per jaar is, geldt voor een termijn van *n* jaar:

$$\textit{Contante waarde} = K_0 = \frac{\textit{streefbedrag}}{(1+\frac{i}{100})^n}$$

Contante waarde van een serie gelijke bedragen

Voorbeeld 2
Eke krijgt vier maal een bedrag van € 500 van zijn ouders. Het eerste bedrag na 1 jaar, het tweede bedrag na 2 jaar en het laatste bedrag na 4 jaar.
Zijn ouders willen weten welk bedrag (**contante waarde**) zij nu tegen 4% interest moeten wegzetten om die vier uitbetalingen te kunnen doen.
$\textit{Contante waarde} = 500 : 1{,}04 + 500 : 1{,}04^2 + 500 : 1{,}04^3 + 500 : 1{,}04^4$.
$\textit{Contante waarde} = 500 \times (1 : 1{,}04 + 1 : 1{,}04^2 + 1 : 1{,}04^3 + 1 : 1{,}04^4)$.
$\textit{Contante waarde} = €\,1814{,}95$.

Voor de *contante waarde* van *n* jaarlijkse uitbetalingen van *K* euro geldt bij een vast rentepercentage van *i*% per jaar de formule:

$$\textit{Contante waarde} = K \times \frac{1-(1+\frac{i}{100})^{-n}}{\frac{i}{100}}.$$

Opgaven

1 Over 10 jaar moet door Leonie een bedrag van € 15 000 worden terugbetaald.
Welk bedrag moet op dit moment tegen 4% samengestelde interest per jaar gestort worden om over 10 jaar de schuld te kunnen aflossen?

2 Michel staat voor de volgende keuze:
I: Nu een bedrag van € 5000 accepteren
II: Over 10 jaar een bedrag van € 10 000.
Michel gaat er van uit dat er de komende tien jaar een jaarlijks rendement van 8% gehaald kan worden.
Welke keuze moet Michel maken?

3 Elektronicawinkel De Kramer BV heeft de volgende betalingsregeling bij de aanschaf van een plasma tv van € 2000:
De klant betaalt € 1000 direct na aankoop, na één jaar € 500 en twee jaar na de aanschaf € 500.
Bereken de contante waarde bij deze betalingsregeling, als uitgegaan kan worden van het gangbare interestniveau van 5%

4 Puck heeft recht op een bedrag van € 500 per jaar voor de komende 10 jaar.
Met welk bedrag kan dit worden afgekocht, als er uitgegaan wordt van samengestelde interest van 8% per jaar.

5 Aan het einde van dit jaar moet Piet een bedrag van € 1500 betalen.
Deze verplichting heeft hij vervolgens nog voor een periode van 8 jaar.
Als er uitgegaan moet worden van een rendement van 6% per jaar, met welk bedrag kan Piet deze verplichting nu afkopen?

8.7 Annuïteiten

Een **annuïteit** is een periodiek gelijkblijvend bedrag bestaande uit aflossing en interest.
Voor de berekening van de annuïteit maak je gebruik van het principe, dat de contante waarde van alle annuïteiten samen gelijk moet zijn aan het beginbedrag.

Voorbeeld 1
Een machine wordt afgeschreven volgens de annuïteitenmethode.
De machine is aangeschaft voor € 20000. De restwaarde is nihil.
De technische levensduur is 5 jaar en de *economische levensduur* is 3 jaar.
Het samengestelde interestpercentage bedraagt 8% per jaar.
$€\,20\,000 = K_0 \times [(1 : 1{,}08 + 1 : 1{,}08^2 + 1 : 1{,}08^3]$.
$K_0 = €\,20000 : 2{,}57\ldots$
$K_0 = €\,7760{,}67$.
Voor het eerste jaar geldt: interestdeel = € 20000 × 0,08 = € 1600.
Afschrijvingsdeel = Annuïteit − Interestdeel = € 7760, 67 − € 1600 = € 6160,67.

Voorbeeld 2
Leonie heeft een annuïteitenhypotheek afgesloten met een looptijd van 20 jaar. Het geleende bedrag is € 200000. De interest bedraagt 4%.
Leonie wil de jaarlijkse annuïteit K berekenen.
Ze gebruikt de formule

$$\textit{Contante waarde} = K \times \frac{1-\left(1+\frac{i}{100}\right)^{-n}}{\frac{i}{100}}$$

. (Zie de vorige paragraaf.)
De contante waarde is in dit geval € 200000. Het rentepercentage $i = 4$.
Invullen van de gegevens levert:

$$200\,000 = K \times \frac{1-1{,}04^{-20}}{0{,}04}$$

. Hieruit volgt $K = €\,14716{,}35$.
Na 1 jaar moet ze aan rente € 8000 betalen; dat is 4% van 200000.
De rest van de annuïteit (€ 14716,35 − € 8000) is de aflossing. Dat is dus een bedrag van € 6716,35.

Opgaven

1 Van een annuïteitenhypotheek voor € 200 000 is de jaarlijkse annuïteit bekend € 42 743,54. Verder is gegeven dat de interestvoet 6% is.
- **a** Bereken voor deze lening het interestdeel voor het eerste jaar.
- **b** Welk bedrag wordt in het eerste jaar afgelost?

2 Een machine wordt afgeschreven volgens de annuïteitenmethode. De machine is aangeschaft voor € 15 000. De restwaarde is nihil. De economische levensduur is 5 jaar. Het samengestelde interestpercentage bedraagt 8% per jaar.
- **a** Bereken de jaarlijkse annuïteit.
- **b** Bereken het afschrijvingsbedrag van het eerste jaar.
- **c** Geef het verloop van de jaarlijkse afschrijving weer.

3 Een machine wordt afgeschreven aan de hand van de annuïteitenmethode. De machine is aangeschaft voor € 50 000. De restwaarde is nihil. De economische levensduur is 5 jaar. Het samengestelde interestpercentage bedraagt 3% per jaar.
- **a** Bereken de jaarlijkse annuïteit.
- **b** Bereken het afschrijvingsbedrag van het eerste jaar.
- **c** Geef het verloop van de jaarlijkse afschrijving weer.

4 Christiaan heeft een annuïteitenhypotheek afgesloten met een looptijd van 30 jaar. Het geleende bedrag is € 150 000. De interest bedraagt 6%.
- **a** Hoe groot is de reden in dit geval?
- **b** Bereken het aflossingsbedrag voor jaar 1.
- **c** Bereken het interestbedrag voor jaar 1.
- **d** Bereken de annuïteit.

5 Gerda heeft een annuïteitenhypotheek afgesloten met een looptijd van 10 jaar. Het geleende bedrag is € 400 000. De interest bedraagt 3%.
- **a** Hoe groot is de reden in dit geval?
- **b** Bereken het aflossingsbedrag voor jaar 1.
- **c** Bereken het interestbedrag voor jaar 1.
- **d** Bereken de annuïteit.

9 Statistiek

9.1 Gemiddelden

Rekenkundig gemiddelde

Voorbeeld 1
Het rekenkundige gemiddelde van de 7 waarnemingen 1, 6, 8, 9, 6, 0 en 12 vind je door alle getallen bij elkaar op te tellen en daarna te delen door het aantal waarnemingen.

Dus: $\dfrac{\textit{som van alle waarnemingen}}{\textit{aantal waarnemingen}} = \dfrac{1+6+8+9+6+0+12}{7} = 6.$

Gewogen gemiddelde

Voorbeeld 2
Sommige waarnemingen kunnen vaker voorkomen.
In de tabel vind je de cijfers voor een toets van 40 studenten:

Cijfer	3	4	5	6	7	8	9
Aantal studenten	1	3	6	12	13	4	1

Het gewogen gemiddelde is $\dfrac{3+3\times4+6\times5+12\times6+13\times7+4\times8+9}{40} \approx 6{,}2$

Voorbeeld 3
Hieronder staan verschillende groepen consumptieve bestedingen en de bijbehorende prijsstijging in het jaar 2006 ten opzichte van het basisjaar 2005.

Groep	Uitgaven in procenten	Prijsstijging 2006 (%)
Voeding	36	20
Kleding	17	7
Huisvesting	28	25
Diversen	19	15
Totaal uitgaven	**100%**	

Voor de totale prijsstijging geldt: $\dfrac{36\times20+17\times7+28\times25+19\times15}{100} =$ 18,24%.

Bij het gewogen gemiddelde tel je het gewicht van de waarneming mee. Dus:
1 vermenigvuldig elke waarneming met zijn gewicht;
2 tel deze producten bij elkaar op;
3 en deel dit door de som van de gewichtsfactoren.

Opgaven

1 Bepaal van de volgende reeksen waarnemingen het gemiddelde:

a 0, 0, 1, 1, 0, 5, 23, –12

b –1, 8, 23, –78, 0, 0, –51, 12, 23, –8, 0, 0, 1

c –2, –3, –4, 0, 1, 2, 3

d 0, 1, –5, 4

2 Een ondernemer behaalde een resultaat (× € 1 000 000) in de periode 2003-2006 zoals in onderstaande tabel is weergegeven. Bereken de gemiddelde rentabiliteit van het eigen vermogen in de periode 2003-2006.

Jaar	2003	2004	2005	2006
Winst	40	44	47	50
Gemiddeld eigen vermogen	100	120	110	136

3 In onderstaande tabel staat het bestedingspatroon van een gemiddeld gezin in 2006, met het bijbehorende prijsindexcijfer van het jaar 2006 en van het jaar 2005.

Tabel: Consumptieve bestedingen van een gemiddeld gezin (2001 = 100)

Groep	Uitgaven in procenten	Prijsindexcijfer 2005	Prijsindexcijfer 2006
Voeding	16	98	103
Kleding	6	105	115
Woning	31	117	124
Medische zorg	9	123	132
Vervoer/vakantie	34	120	127
Diversen	4	115	110
Totaal uitgaven	**100%**		

a Bereken het samengestelde prijsindexcijfer van de totale consumptie in 2005 en in 2006.

b Bereken met hoeveel procent de totale kosten van levensonderhoud in 2006 zijn toegenomen ten opzichte van 2005.

c Van de familie De Vries wijkt het bestedingspatroon wezenlijk af van dat van een gemiddeld gezin. Het gezin heeft geen auto en gaat nooit met vakantie. Was de toename van de totale kosten van levensonderhoud van dit gezin lager of hoger dan dat van een gemiddeld gezin? Geef een toelichting bij je antwoord.

9.2 Modus en mediaan

Modus

De **modus** is de meest voorkomende waarneming in een reeks waarnemingen.

Voorbeeld 1

In de reeks 1, 2, 3, 4, 1, 2, 1, 4, 3, 1, 7, 7 is het getal 1 de meest voorkomende waarneming. De *modus* van deze reeks is dus 1.

Modaal inkomen

Het **modale inkomen** wordt vaak gebruikt om de koopkracht van de bevolking van een land aan te geven. Het is een 'geprikt' inkomensniveau, dat in de buurt van het meest voorkomende inkomen ligt.
Het gemiddelde inkomen geeft een vertekend beeld van het inkomensniveau omdat er in vrijwel elk land een relatief kleine groep rijke personen is die het gemiddelde inkomen relatief hoog maakt.

Mediaan

De **mediaan** is de waarneming in het midden van een reeks. Je moet dan wel eerst de getallen op volgorde van klein naar groot zetten.
In een reeks met een **even aantal** waarnemingen is er geen middelste getal. In zo'n geval neem je het gemiddelde van de middelste twee getallen.
Modus, mediaan en gemiddelde staan bekend onder de verzamelnaam **centrummaten**.

Voorbeeld 2

Ga uit van de volgende reeks 1, 2, 3, 4, 1, 1, 7.
Zet de reeks eerst op volgorde van grootte: 1, 1, 1, **2**, 3, 4, 7.
De *mediaan* van deze reeks is 2, want dat is de middelste waarneming.
De *modus* is 1.

Voorbeeld 3

Gegeven is de reeks 1, 2, 3, 4.
Deze reeks bestaat uit vier waarnemingen (even aantal). De mediaan is het *gemiddelde van 2 en 3*, dat is dus 2,5 (ook al komt dit getal zelf niet in de reeks voor). Er is geen modus.

Opgaven

1 Bepaal van de volgende reeksen waarnemingen de modus:

a 0, 0, 1, 1, 0, 5, 23, –12

b –1, 8, 23, –78, 0, 0, –5112, 23, –8, 0, 0, 1

c –2, –3, –4, 0, 1, 2, 3

d 0, 1, –5, 4, 1.

2 Stel dat we van alle EU-landen het Bruto Binnenlands Product per inwoner als criterium nemen voor de welvaart van een land. Als we nu deze welvaartscijfers van deze landen met elkaar gaan vergelijken, is dat zinvol? Benoem de beperkingen die je ziet bij deze vergelijking.

3 Bepaal van de volgende reeksen waarnemingen de mediaan:

a 0, 0, 1, 1, 0, 5, 23, –12

b –1, 8, 23, –78, 0, 0, –5112, 23, –8, 0, 0, 1

c –2, -3, –4, 0, 1, 2, 3

d 0, 1, –5, 4

4 Gegeven is de reeks 1, 2, 0, –1, 3, 4, –23, 56
Is de mediaan van deze reeks groter dan het gemiddelde?
Motiveer je antwoord.

5 In een onderneming werken 25 personen. In onderstaande tabel zie je wat ze per maand verdienen.

Maandsalaris (€)	20000	5000	2250	2000	1500
Aantal mensen	1	2	4	8	10

a Wat is het gemiddelde salaris per maand?

b Welk salaris is de mediaan?

c Wat is het modale salaris?

d Wat is volgens jou de beste statistische maatstaf voor de salarissen in deze onderneming? Motiveer je antwoord.

9.3 Kwartiel en deciel

Kwartiel

De kwartielen van een reeks waarnemingen vind je als volgt:

- Zet de waarnemingen op volgorde van klein naar groot.
- Bepaal de mediaan van de reeks. Dat is het **tweede kwartiel**.
- Bepaal de mediaan van de onderste helft van de reeks. Dat is het **eerste kwartiel**.
- Bepaal de mediaan van de bovenste helft van de reeks. Dat is het **derde kwartiel**.

Het **eerste kwartiel** is dus het getal dat het eerste kwart gedeelte van het totale aantal waarnemingen scheidt van het volgende kwart gedeelte van het totale aantal. (Nadat die waarnemingen op volgorde van grootte zijn geplaatst.)

Voorbeeld 1

Gegeven is de reeks waarnemingen:
1, 6, 8, 9, 6, 0, 4, 512, 9, 19, 21, 0, 98, 191, 3, 6
Bepaal het eerste kwartiel.

Op volgorde plaatsen van de reeks van 16 waarnemingen geeft:
0, 0, 1, 3, 4, 6, 6, 6, 8, 9, 9, 19, 21, 98, 191, 512

De eerste helft van het totale aantal waarnemingen is de deelreeks:
0, 0, 1, 3, 4, 6, 6, 6

Het **eerste kwartiel** is de mediaan van deze deelreeks. Deze deelreeks heeft een even aantal waarnemingen; de mediaan is dan het gemiddelde van de middelste twee getallen: $(3 + 4) : 2 = 3{,}5$. Het eerste kwartiel is dus 3,5.

Voorbeeld 2

Welke waarnemingen bevinden zich in het derde deciel van de reeks van 20 waarnemingen 1, 6, 8, 9, 6, 0, 4, 512, 9, 23, 19, 21, 32, 12, 17, 0, 98, 191, 3, 6?

Plaats eerst de 20 getallen op volgorde van grootte:
0, 0, 1, 3, **4**, **6**, 6, 6, 8, 9, 9, 12, 17, 19, 21, 23, 32, 98, 191, 512.
Elk deciel bevat hier twee getallen.
In het derde deciel van de reeks bevinden zich dus: 4 en 6.

Opgaven

1 Bepaal de drie kwartielen van de 24 getallen in de reeks: 0, 1, 23, –12, 7, 12, 1, –16, –1, 8, 23, –78, 0, –5, –8, 0, 234, –126, 0, 0, 67, 45, 0, 99.

2 In de tabel hieronder zie je gegevens over de personele inkomensverdeling van een land. De bruto-inkomens per jaar per inwoner zijn gerangschikt op volgorde van grootte.

Aandeel in bevolking	10%	10%	10%	10%	10%	10%	10%	10%	10%	10%
Gemiddeld inkomen	6600 €	8750 €	10525 €	12216 €	13950 €	15810 €	18136 €	21052 €	25490 €	30520 €
Aandeel in totale inkomen	4,7%	5,8%	6,8%	7,7 %	8,7%	9,7%	11,0%	12,6%	15,2%	17,8%

a Beeld de cijfers af in een curve (curve A) in onderstaande grafiek. Op de horizontale as staat het cumulatieve percentage inwoners. Op de verticale as staat het cumulatieve percentage van het totale inkomen van het land. De schaal loopt met 10% stapgrootte van 0% tot 100% . Deze curve wordt door economen de Lorenzcurve genoemd.

b Stel dat je de verdeling van de *netto*-inkomens over de inwoners van dit land afbeeldt in een nieuwe curve (curve B). Is curve B dichter dan curve A bij de getekende diagonaal (de 45° lijn) of ligt deze daar verder vanaf? Bedenk dat in dit land een progressief belastingstelsel heerst.

c Wat gebeurt er met de positie van curve B ten opzichte van de getekende diagonaal als het land een nog meer progressief belastingstelsel gaat invoeren?

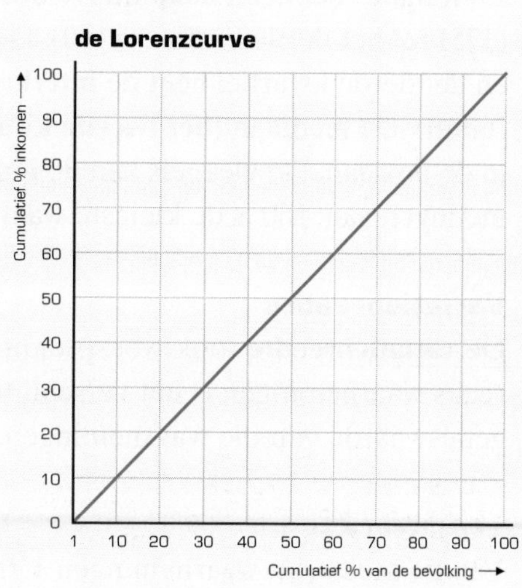

9.4 Boxplot en variatiebreedte

Boxplot

Met een **boxplot** (of **boxdiagram**) kun je in één oogopslag de spreiding binnen een groep waarnemingen zien.

Voorbeeld 1

Je weegt 100 appels en rondt elke weging af op 10 gram. De gevonden gewichten zet je in opklimmende grootte. De resultaten zet je in een tabel.

Gewicht (gr)	160	170	180	190	200	210	220
Aantal appels	15	20	30	15	10	6	4

- De mediaan van de gevonden gewichten is 180, want de 50ᵉ en de 51ᵉ weging zijn allebei 180; hun gemiddelde is 180.
- De mediaan van de onderste helft van de wegingen is het gemiddelde van de 25ᵉ en de 26ᵉ waarneming. De 25ᵉ waarneming is 170 en de 26ᵉ is 180. Hun gemiddelde is 175. Dat is de mediaan van de onderste helft; deze heet ook wel het **eerste kwartiel**.
- De mediaan van de bovenste helft (het gemiddelde van de 75ᵉ en de 76ᵉ waarneming) is 190. Deze heet het **derde kwartiel**.

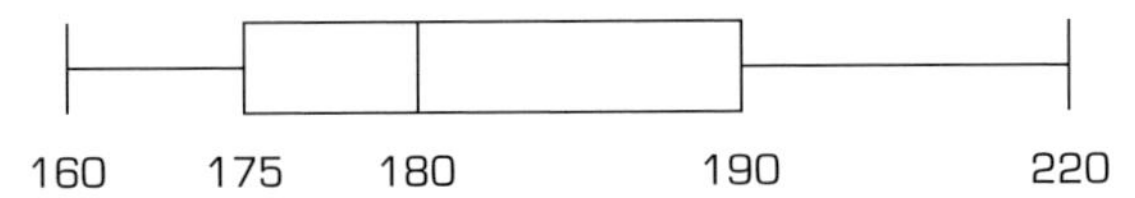

In de figuur hierboven zijn de resultaten van de metingen weergegeven. Zo'n figuur heet een **boxplot**. De box loopt van het eerste kwartiel (175) tot het derde kwartiel (190). De afstand tussen het eerste kwartiel en het derde kwartiel heet de **interkwartielafstand**; die is hier dus 15 (gram). De mediaan (**het tweede kwartiel**) geef je met een streepje in de box aan. De vleugels aan de box geven het totale bereik van de metingen aan, 160 is de kleinste waarneming en 220 is de grootste.

Variatiebreedte

De **variatiebreedte** (ook wel spreidingsbreedte genoemd) van een reeks waarnemingen is het verschil tussen de grootste en de kleinste getalswaarde van die waarnemingen.

Voorbeeld 2

Van de reeks van waarnemingen 1, 6, 8, 9, 6, 5, 13

De variatiebreedte = grootste getal – kleinste getal = 13 – 1 = 12.

Opgaven

1 Bepaal van de volgende reeksen waarnemingen de variatiebreedte:

a 0, 1, 23, –12

b –1, 8, 23, –78, 0, –5, –8, 0

c –2, –3, –4, 0, 1, 2, 3

d 0, 1, –5, 4

2 Van de reeks 0, –4, 4, –1, 1 is de variatiebreedte 5,6. Welk getal ontbreekt?

3 Van een aantal Afrikaanse landen staat in de tabel de staatsschuld weergegeven.

a Wat is de gemiddelde staatsschuld per land?

b Bepaal de variatiebreedte van de staatsschuld

c Waarom is het gemiddelde in dit geval geen goede maatstaf?

Land	Schuld (miljoen €)
Tsjaad	5
Mali	40
Niger	200
Zambia	315
Zimbabwe	700
Marokko	4500

4 In onderstaande tabel zijn de percentages weergegeven van kinderen/jongeren (4 t/m 19 jaar) met overgewicht.

	2000	2001	2002	2003	2004	2005
Meisjes	11,7	12,5	11,2	9,6	12,4	13,5
Jongens	10,7	11,4	13,3	11,5	13,2	11,8

Bron: CBS

Het criterium is de body-mass-index; dit is het gewicht (in kilo) gedeeld door het kwadraat van de lengte (in meters). Dit getal is aangepast voor jeugdigen. Indien deze index groter is dan 25 spreekt men van overgewicht.

a Blijkt uit de tabel dat overgewicht bij jongens toeneemt of afneemt in de loop der tijd? Motiveer je antwoord

b Blijkt uit de tabel dat overgewicht bij meisjes toeneemt of afneemt in de loop der tijd? Motiveer je antwoord

c Blijkt uit de tabel dat de variatiebreedte van overgewicht toeneemt of afneemt in de loop der tijd? Motiveer je antwoord

d Wat zouden de negatieve effecten op langere termijn kunnen zijn van een toenemend overgewicht op het vrij besteedbaar inkomen van de burgers? Motiveer je antwoord.

9.5 Variantie en standaarddeviatie

Variantie

De **variantie** is een maat voor de spreiding van een aantal waarnemingen rondom het gemiddelde.
Van de reeks $x_1, x_2, x_3, x_4, \ldots\ldots\ldots\ldots x_n$ (n waarnemingsgetallen) bereken je de **variantie** met de volgende formule:

$$\frac{(x_1-\mu)^2+(x_2-\mu)^2+(x_3-\mu)^2+\ldots+(x_n-\mu)^2}{n}=\frac{\sum_{i=1}^{n}(x_i-\mu)^2}{n}$$

In deze formule is μ het gemiddelde van de waarnemingen en n het aantal waarnemingen.
(Volgens de theorie van de kansrekening kun je in deze formule in plaats van n beter $n - 1$ gebruiken. Ook de rekenmachine gebruikt $n - 1$ bij het berekenen van de variantie. Voor grote waarden van n maakt dat niet veel uit.)

Standaarddeviatie

De wortel van de variantie is de **standaardafwijking** of **standaarddeviatie**, ook wel **standaardfout** genoemd. De standaarddeviatie wordt aangegeven met het symbool σ (de Griekse letter sigma).

$$\text{Standaarddeviatie} = \sqrt{\frac{\sum_{i=1}^{n}(x_i-\mu)^2}{n}}.$$

Voorbeeld 1

Gegeven is de reeks van 9 waarnemingen: 5, 5, 6, 7, 7, 8, 8, 8, 9.

1 De som van deze reeks = 5 + 5 + 6 + 7 + 7 + 8 + 8 + 8 + 9 = 63.
2 Het gemiddelde = $\frac{63}{9} = 7$.
3 Kwadrateren en optellen van de verschillen met het gemiddelde geeft: $(5-7)^2 + (5-7)^2 + (6-7)^2 + (7-7)^2 + (7-7)^2 + (8-7)^2 + (8-7)^2 + (8-7)^2 + (9-7)^2 = 16$.
4 Delen door het aantal waarnemingen: 16 : 9 ≈ 1,78.
5 De standaarddeviatie is: $\sqrt{1,78} \approx 1,33$.

Opgaven

1 Bepaal van de volgende reeksen het (rekenkundige) gemiddelde, de mediaan, de modus en de standaardfout.

a $-1, 8, 23, -7, 0, 0, -5, 23, 0, 1$ **b** $-2, -3, -4, 1, 2, 3$

2 In onderstaande tabel zijn de aantallen verkeersslachtoffers per jaar weergegeven.

Jaar	Aantal doden	Aantal gewonden in ziekenhuis
1987	1485	13966
1988	1366	13640
1989	1456	13661
1990	1376	13658
1991	1281	12020
1992	1253	11648
1993	1235	11552
1994	1298	11735
1995	1334	11688
1996	1180	11964
1997	1163	11717
1998	1066	11733
1999	1090	12387
2000	1082	11505
2001	993	11028
2002	987	11018
2003	1028	10596
2004	804	9487
2005	750	9401

Bron: Stichting Wetenschappelijk Onderzoek Verkeersveiligheid (SWOV).

a Mag je concluderen dat – op grond van het met de tijd dalend aantal slachtoffers – het verkeer in het algemeen minder riskant is geworden? Motiveer je antwoord.

b Bereken het gemiddeld aantal verkeersdoden per jaar en het gemiddeld aantal in het ziekenhuis opgenomen gewonden (rond af op gehele getallen).

c Is de variantie van het aantal verkeersdoden groter dan de variantie van het aantal in het ziekenhuis opgenomen gewonden?
Hoe zou het kunnen dat er sprake is van een met de tijd dalend aantal slachtoffers, terwijl de bevolking groeit?

Met de cd-rom kun je verder oefenen

10.1 Normale Verdeling

Kromme van Gauss

Van 1500 willekeurig gekozen Nederlandse mannen meet je de lengte. In een grafiek zet je verticaal af hoe vaak een gemeten lengte voorkomt. Als er bijvoorbeeld 75 mannen (dat is 5% van het totaal) tussen 176 cm en 177 cm lang zijn, zet je daar een staafje van 0,05 hoog. Zie de figuur. Al die staafjes samen vormen dan (na gladstrijken) een grafiek zoals je hiernaast ziet. De verdeling van de lengtes heeft een **klokvormige, symmetrische** grafiek. De top ligt bij de gemiddelde lengte μ = 180 cm. Lengtes in de buurt van het gemiddelde komen het vaakst voor. Tussen 179 cm en 181 cm vind je ruim 11% van de gemeten lengtes (zie de twee gearceerde kolommetjes). De breedte van de grafiek wordt bepaald door de **standaarddeviatie** σ. Hier is σ = 7 cm. Tussen 180 – 7 en 180 + 7 ligt ruim 68% van alle metingen.

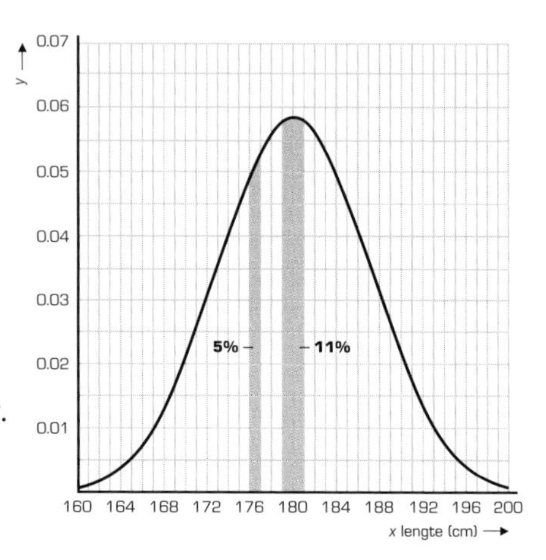

Een verdeling met een klokvormige grafiek zoals hierboven, heet een **Normale Verdeling** of **Verdeling van Gauss**. Alle metingen samen heten de (lengte)**populatie**. De top van de grafiek ligt bij het **populatiegemiddelde** (μ). Grootheden die het resultaat zijn van veel verschillende, onafhankelijke oorzaken, (zoals gewichten van tomaten, lengtes van boombladeren, e.d.) zijn vaak normaal verdeeld.

Kenmerken Normale Verdeling

Belangrijke kenmerken van de Normale Verdeling zijn:

- de oppervlakte onder de kromme komt overeen met 100%;
- modus, mediaan en rekenkundig gemiddelde μ zijn gelijk aan elkaar;
- Voor de standaarddeviatie σ geldt:
  – tussen (μ – 1σ) en (μ + 1σ) ligt 68,3% van alle waarnemingen;
  – tussen (μ – 2σ) en (μ + 2σ) ligt 95,4% van alle waarnemingen;
  – tussen (μ – 3σ) en (μ + 3σ) ligt 99,7% van alle waarnemingen.

Opgaven

1 Bekijk nog eens de Normale Verdeling van de lengtes van de Nederlandse mannen, die op de vorige bladzijde staat.

a Hoeveel van de 1500 gemeten mannen hadden een lengte tussen 180 – 7 en 180 + 7 cm?

b Hoeveel van de 1500 gemeten mannen hadden een lengte tussen de 180 – 14 en 180 + 14 cm?

c Hoeveel procent van de mannen had een lengte groter dan 194 cm?

2 De gemiddelde lengte van de Nederlandse vrouw (omstreeks het jaar 2000) is 167 cm. Waarom is de totale lengteverdeling (dus van mannen en vrouwen samen) geen Normale Verdeling?

3 De beide grafieken hieronder stellen de gewichtsverdeling voor van de inhoud van kuipjes dieetmargarine. De linker grafiek betreft Olivo-Light, de rechter figuur Olivo-Extra. Van beide verdelingen is het gemiddelde 253 gram. De standaarddeviatie van de linker verdeling is $\sigma_1 = 5$ gram.

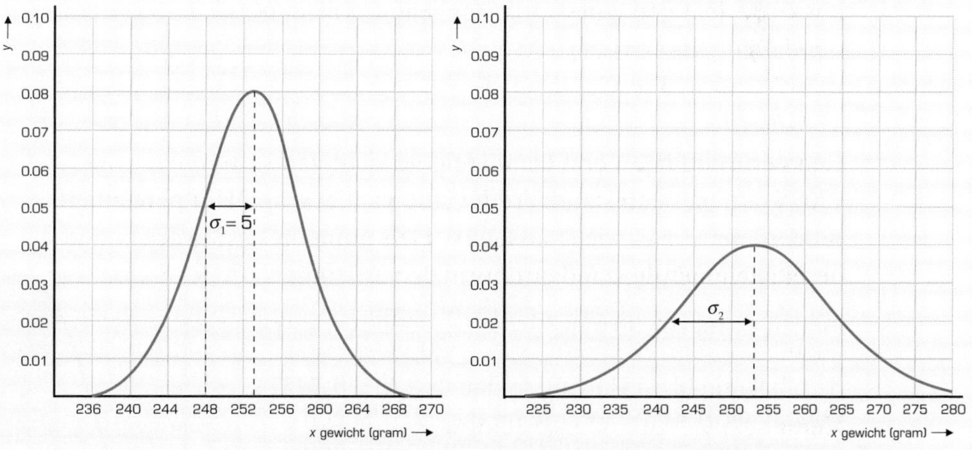

a Hoe zie je aan de grafiek dat de standaarddeviatie σ_2 van de vulling van Olivo-Extra groter is dan die van Olivo-Light? Geef een schatting voor σ_2.

b Wat betekent dit verschil voor de koper van Olivo-Extra?

10.2 Standaardnormale verdeling

Elke Normale Verdeling kun je omwerken tot een verdeling met gemiddelde 0 en standaarddeviatie 1. Dat heet **standaardiseren**. Bij de lengteverdeling van de Nederlandse mannen ga je dan als volgt te werk:

- trek van elke gemeten lengte het gemiddelde (180 cm) af; dan wordt het nieuwe gemiddelde 180 – 180 = 0;
- deel het getal dat je zo hebt gekregen door de standaarddeviatie 7.

Je vervangt dus elke i-de meting x_i door het getal $z_i = \dfrac{x_i - \mu}{\sigma}$.

Dit getal geeft aan hoeveel standaardafwijkingen x_i afwijkt van het gemiddelde μ. Zo krijg je de **standaardnormale verdeling**. Die heeft het gemiddelde 0 en de standaard-deviatie 1. De grafiek zie je hiernaast.

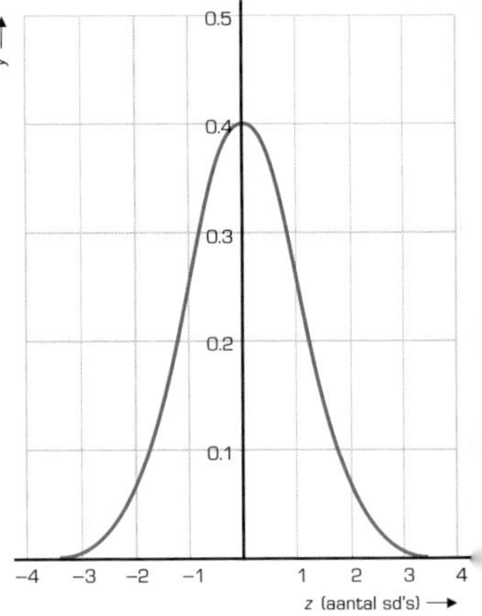

Voor de standaardnormale verdeling is een tabel gemaakt waarin je voor elke z-waarde kunt aflezen welk gedeelte van de waarnemingen kleiner is dan die z-waarde. Dat gedeelte wordt aangegeven met $\Phi(z)$ (spreek uit: fie-van-zet).

Voorbeeld 1

Een oerbrood heeft een gemiddeld gewicht van 1200 gram met een standaarddeviatie van 20 gram. Het percentage broden met een gewicht tussen de 1188 gram en 1212 gram kun je berekenen met de standaardnormale verdeling.

De z-waarde van 1212 is: $z = \dfrac{1212 - 1200}{20} = 0{,}6$. In de tabel (zie blz. 151) vind je dat $\Phi(0{,}6) = 0{,}7257$.
Omdat $\Phi(0) = 0{,}5$, weet je nu dat 22,57% een gewicht tussen 1200 en 1212 gram heeft. Omdat de verdeling symmetrisch is, heeft ook 22,57% een gewicht tussen 1188 en 1200.
Dus 45,14% van de broden heeft een gewicht tussen de 1888 en 1200 gram.

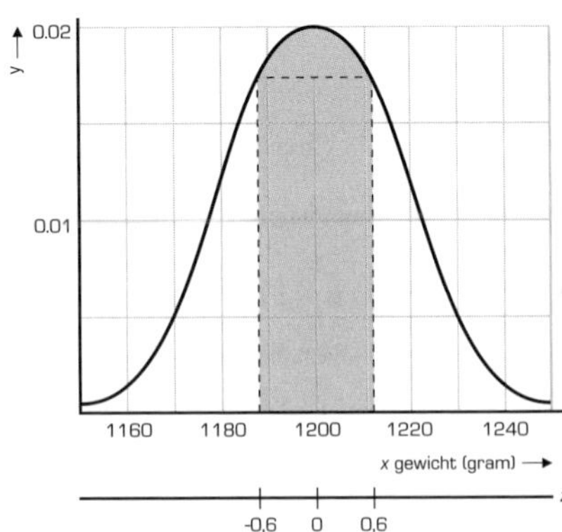

Opgaven

1 Van een type spaarlamp is bekend dat de levensduur normaal verdeeld is met een gemiddelde $\mu = 2400$ uur. De standaarddeviatie van de levensduur is 50 uur.

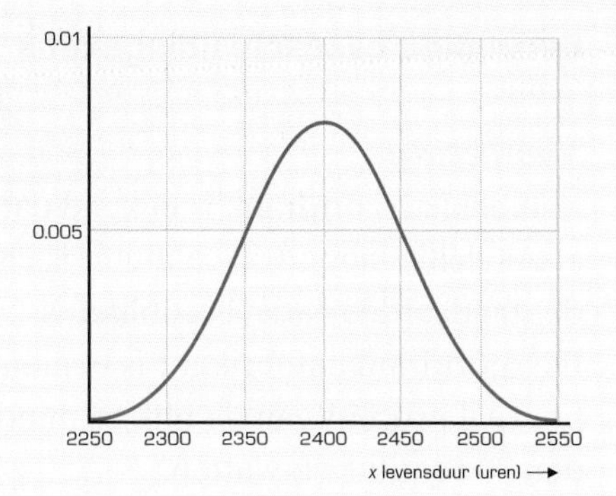

a Een levensduur van 2500 uur geeft in de standaardnormale verdeling het getal $z = 2$. Leg dat uit.

b Zoek in de tabel het getal $\Phi(2)$ op.

c Welke percentage van de lampen brandt langer dan 2500 uur?

d Welk percentage van de lampen heeft een levensduur tussen de 2400 en 2500 uur?

2 Dankzij de informatie van de productie afdeling van een worstfabriek is het volgende bekend. Het gemiddelde gewicht van de geproduceerde worsten is 1010 gram. De standaarddeviatie van de gewichten is 20 gram. De gewichten zijn normaal verdeeld.
De directie is benieuwd hoeveel procent van de worsten meer dan 1000 gram weegt.

a Welke z-waarde heeft een gewicht van 1000 gram in dit geval?

b De tabel levert bij de in vraag a gevonden z-waarde $\Phi(z) = 0,3085$. Wat betekent dat in deze situatie?

c Hoeveel procent van de worsten is zwaarder dan 1000 gram?

3 Van een lactomelflesje is bekend dat de gemiddelde inhoud 30 centiliter is. De standaarddeviatie is 3 centiliter. De inhoud is normaal verdeeld.

a Hoeveel procent van de lactomelflesjes heeft een inhoud minder dan 33 cl?

b Hoeveel procent heeft een inhoud minder dan 27 cl?

c Hoeveel procent heeft een inhoud tussen de 27 en 33 cl?

10.3 Overschrijdingskans

Eenzijdige overschrijdingskans

Voorbeeld 1

Van blikjes sportdrank is bekend dat de gemiddelde inhoud 33 centiliter is en dat de standaarddeviatie 2 centiliter is.
De sportdrankenfabrikant is benieuwd hoeveel procent van de blikjes minder dan 30 centiliter bevatten.
Er hoeft alleen gelet te worden op het aantal blikjes dat minder dan 30 cl bevat.
De z-waarde van 30 is

$z = \dfrac{30-33}{2} = -1{,}5$ en daarbij geldt

$\Phi(-1{,}5) = 0{,}0668$.

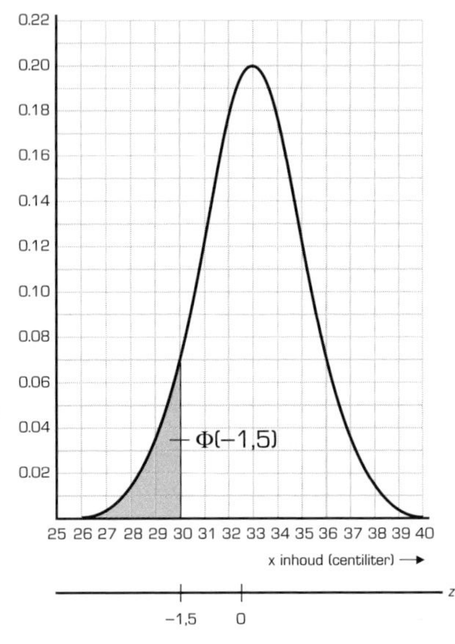

Dat betekent: 6,68% van de blikjes bevat minder dan 30 cl. De andere blikjes bevatten meer.

Bij een **eenzijdige overschrijdingskans** wordt er als het ware slechts één stuk van de kromme van Gauss 'afgesneden'.
Je kunt dit aan de opgave zien omdat er gesproken wordt over of een 'minimum' (minstens) of een 'maximum' (maximaal).

Tweezijdige overschrijdingskans

Bij een **tweezijdige overschrijdingskans** worden er twee stukken van de kromme van Gauss 'afgesneden'. Je kunt aan de opgave zien omdat er dan gesproken wordt over 'tussen …'.

Voorbeeld 2

De fractie (het gedeelte) van de sportdrankflesjes van voorbeeld 1 met een inhoud tussen de 29 en 35 centiliter bereken je als volgt:
35 heeft de z-waarde 1, want $35 = 33 + 1 \times 2$.
29 heeft de z-waarde −2, want $29 = 33 - 2 \times 2$.
$\Phi(-2) = 0{,}023$; dat betekent 2,3% bevat minder dan 29 cl.
$\Phi(1) = 0{,}841$; dat betekent 84,1% bevat minder dan 35 cl.
$\Phi(1) - \Phi(-2) = 0{,}841 - 0{,}023 = 0{,}818$; dus 81,8% bevat tussen de 29 en 35 cl.

Opgaven

1 Van een type spaarlamp is bekend dat de verwachte brandtijd normaal verdeeld is met een gemiddelde van 6000 uur en een standaarddeviatie van 500 uur. Een producent levert 7500 spaarlampen.

a Bereken hoeveel van die lampen een brandtijd hebben tussen de 5200 en 5700 uur.

b Hoeveel van deze lampen zijn na 5200 branduren al kapot?

c Je noemt een lamp 'zeer goed' als hij bij de 10% hoort die het hoogste aantal branduren heeft. Hoeveel uur moet een lamp minstens branden om 'zeer goed' te zijn?

2 In de grafiek zie je de verdeling van het aantal grammen in een pak poedersuiker. De standaarddeviatie is 4 gram.

a Hoe groot is het gemiddelde vulgewicht?

b Hoeveel procent van de pakken bevat minder dan 250 gram poedersuiker?

c Hoeveel procent van de pakken bevat tussen de 254 en 256 gram?

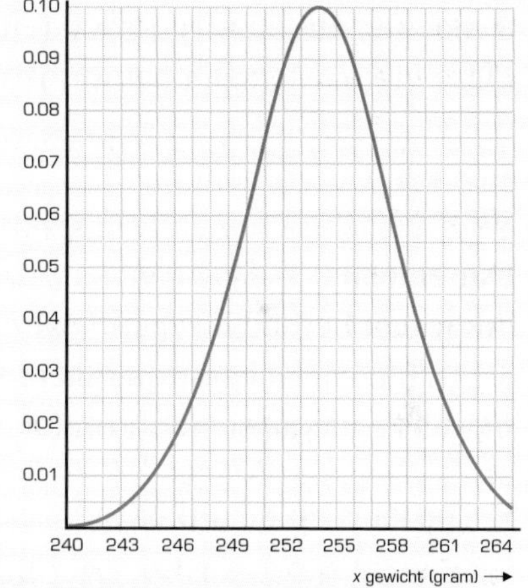

Neem aan dat het gemiddelde vulgewicht gelijk blijft, maar dat de machine onnauwkeuriger wordt. Dat betekent dat de standaarddeviatie toeneemt tot 6 gram.

d Welk gevolg heeft dat voor de grafiek?

e Hoeveel procent van de pakken weegt nu minder dan 250 gram?

f Hoeveel procent van de pakken bevat tussen de 254 en 256 gram?

3 De schedelomtrek bij volwassen mannen is ongeveer Normaal Verdeeld met een gemiddelde van 56 cm en een standaarddeviatie van 2,2 cm. Winkels die hoeden of petten verkopen, houden met hun inkoop rekening met dit gegeven. Meestal hebben ze alleen die maten in voorraad die bij de 80% meest voorkomende schedelafmetingen horen.

a Kan een man met een schedelomvang van 52 cm verwachten dat de winkelier voor hem een passende pet in voorraad heeft?

b En hoe is de situatie voor een man met een schedelomvang van 60 cm?

10.4 Binomiale verdeling

Voorbeeld 1

Een bak bevat 2500 rode kralen en 7500 witte kralen. De kralen zijn even groot en goed gemengd. Je neemt blindelings een kraal, noteert de kleur en legt de kraal weer terug. Dit doe je 50 keer.
Bij elke trekking is de kans op een rode kraal (dit noem je een succes) 0,25. De kans op een witte kraal (een mislukking) is per trekking 0,75.
Notatie: per trekking is P(rood) = 0,25 en P(wit) = 0,75.
Dit experiment heet een **binomiaal kansexperiment** met parameters n = 50 (aantal trekkingen) en $p = 0{,}25$ (kans op succes). Notatie Bin(50; 0,25).
In dit voorbeeld zijn er 51 mogelijke uitkomsten:
0 rood (en dus 50 wit); 1 rood (en dus 49 wit);.....; 50 rood (en dus 0 wit).
Deze uitkomsten zijn natuurlijk niet allemaal even waarschijnlijk

Een kansexperiment met precies twee mogelijke uitkomsten waarvoor geldt P(succes) = p en P(mislukking) = $1 - p = q$ heet een **Bernoulli-experiment**.
Als je een Bernoulli-experiment n maal onafhankelijk herhaalt, krijg je een **binomiaal kansexperiment** Bin(n; p). De kansen van de $n + 1$ mogelijke uitkomsten van Bin(n; p) vormen een **binomiale kansverdeling**.

- De kans op de uitkomst 'k successen en $n - k$ mislukkingen' kun je berekenen met de formule $P(k) = \binom{n}{k} p^k (1-p)^{n-k}$.
  Hierin is $\binom{n}{k} = \dfrac{n(n-1)(n-2)...(n-k+1)}{k(k-1)...1}$.
- Gemiddeld verwacht je ongeveer np successen.

Voorbeeld 2

- Terug naar het voorbeeld van hierboven. De kans op 10 rode en 40 witte kralen is: $P(10) = \binom{50}{10} \cdot 0{,}25^{10} \cdot 0{,}75^{40} \approx 0{,}0985$. Zo kun je voor elk van de 51 mogelijkheden de kans berekenen. In de volgende paragraaf kun je vinden dat je (onder bepaalde voorwaarden) deze kansen kunt benaderen met de normale verdeling.
- Je pakt 50 keer een kraal. Je verwacht ongeveer 50 × 0,25 (dat is np) successen. Dat zijn er ongeveer 12 of 13.

Opgaven

1 Bekijk nog eens voorbeeld 1 hiernaast. Je trekt zes keer blindelings een kraal en noteert de kleur. Een rode kraal noem je een succes.

a Welke waarden hebben n en p in dit geval?

b Noem de zeven mogelijke uitkomsten van dit experiment.

De kans op k successen (dat wil zeggen de kans op k rode trekkingen) kun je berekenen met de formule

$$P(k) = \binom{6}{k} p^k (1-p)^{6-k} \text{ ; hierin is } \binom{6}{k} = \frac{6 \times 5 \times ... (6-k+1)}{k(k-1)...3 \cdot 2}$$

Dus bijvoorbeeld voor $k = 4$ komt er:

$$P(4) = \binom{6}{4} \cdot 0{,}25^4 \cdot 0{,}75^2 = \frac{6 \cdot 5 \cdot 4 \cdot 3}{4 \cdot 3 \cdot 2} \cdot 0{,}25^4 \cdot 0{,}75^2 \approx 0{,}033$$

c Bereken $P(3)$. **d** Bereken de kans op geen enkel succes.

2 Je gooit 90 keer met een dobbelsteen. Als je een 6 gooit, heb je succes. De andere uitkomsten zijn mislukkingen. Dit is een binomiaal kansexperiment.

a Welke waarde heeft n in dit geval?

b Hoe groot is in dit geval de succeskans p?

c Wat is de korte notatie voor dit binomiale experiment?

d Hoeveel successen verwacht je ongeveer in totaal?

3 Je moet 10 vierkeuzevragen door gokken beantwoorden.

a Het beantwoorden van één vraag is een Bernoulli-experiment. Hoe groot is de kans op succes en hoe groot is de kans op mislukking?

b Het beantwoorden van tien vragen is een binomiaal experiment. Wat zijn in dit geval de waarden van n en p?

c Hoe groot is de kans dat je precies één vraag goed beantwoordt?

4 Vanuit de oorsprong maak je een denkbeeldige wandeling. Je kunt alleen naar rechts of naar boven; telkens met een stap van 1 hokje. Door het opgooien van een munt bepaal je of je naar rechts gaat of naar boven. Na tien stappen ben je aangekomen op een punt van de lijn $x + y = 10$.

a Waarom is deze wandeling een binomiaal experiment?

b Wat zijn de waarden van n en p in dit geval?

c Twee eindpunten zijn het meest waarschijnlijk. Welke coördinaten hebben die punten?

10.5 Normale benadering van de binomiale verdeling

Voorbeeld 1

Nogmaals de bak met 2500 rode kralen en 7500 witte kralen. Van de 50 trekkingen verwacht je in ongeveer een kwart van de gevallen een rode uitkomst. Als je het binomiale experiment Bin(50; 0,25) vele malen uitvoert, zul je meestal tussen de 10 en 14 rode trekkingen krijgen, maar 20 maal rood (van de 50 trekkingen) is niet onmogelijk. Hiernaast staat een benadering van de grafiek van de binomiale verdeling Bin(50; 0,25). Je ziet daarin dat uitkomsten als '30 rood' praktisch onmogelijk zijn.

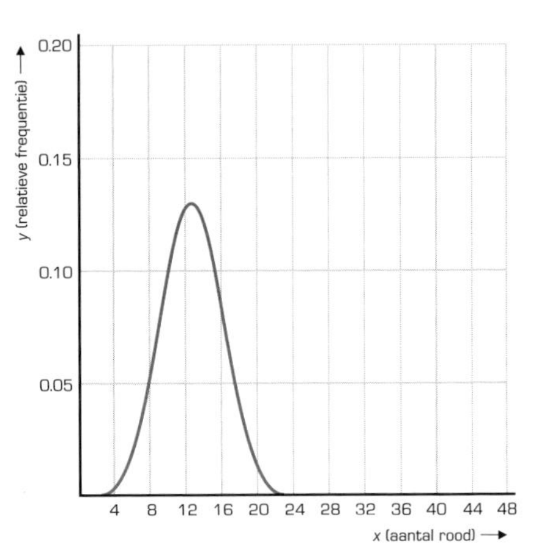

Je ziet ook dat de grafiek sterk lijkt op de grafiek van een normale verdeling.

Een binomiale verdeling Bin(n; p) kun je **benaderen door een normale verdeling** met gemiddelde $\mu = n \times p$ en standaarddeviatie $\sqrt{np(1-p)}$. Dat kan onder de voorwaarde dat de kans p niet te dicht bij 0 of 1 ligt. De gangbare eis voor deze benadering is dat $np > 5$ en ook $n(1-p) > 5$ moet zijn. In dit voorbeeld is $50 \times 0,25 > 5$ en ook $50 \times 0,75$ is natuurlijk groter dan 5.

Voorbeeld 2

Bij het kralenexperiment Bin(50; 0,25) is het gemiddelde 12,5 (= 0,25 × 50). De standaardafwijking is $\sqrt{50 \times 0,25 \times 0,75}$. Dat is ongeveer 3. In ongeveer 68% van de keren dat je dit experiment doet, zul je een van de uitkomsten '10, 11, 12, 13, 14 of 15 maal rood' krijgen; dat zijn uitkomsten die minder dan de standaarddeviatie van het gemiddelde verschillen.

Om met de **normale benadering** de kans op 15 of meer rode kralen te berekenen, bereken je de kans dat *aantal rood* > 14,5. Voor de kans op minder dan 8 keer rood bereken je *aantal rood* < 7,5.

Opgaven

1 Het binomiale experiment Bin(50; 0,25) (zie hiernaast) wordt benaderd door de normale verdeling met gemiddelde 12,5 en met standaarddeviatie $\sigma = \sqrt{50 \cdot 0{,}25 \cdot 0{,}75} \approx 3{,}1$. Gebruik deze bij de volgende vragen.

a Hoe groot is bij dit experiment de kans dat je 15 of meer rode trekkingen doet?

b Hoe groot is de kans op minder dan acht keer rood?

2 Hiernaast zie je de grafiek van de normale benadering van het blindelings invullen van 20 vierkeuzevragen.

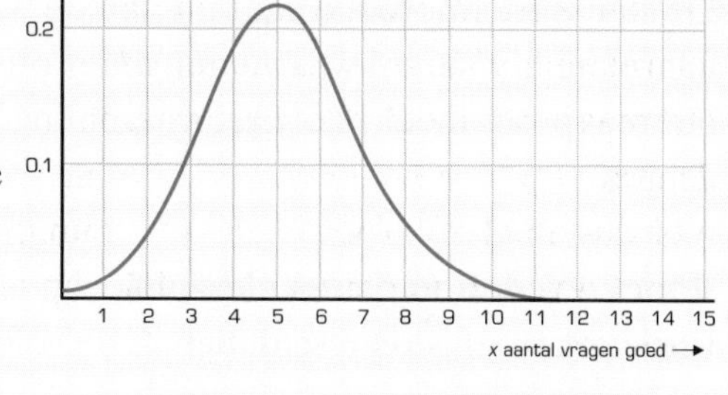

a Bereken voor dit experiment het gemiddelde en de standaarddeviatie.

b Hoeveel vragen ongeveer verwacht je goed te gokken?

c Om een voldoende te halen, moet je minstens acht vragen goed hebben. Hoe groot is de kans dat je meer dan zeven vragen goed gokt?

d Hoe groot is de kans dat je minder vier vragen goed hebt?

3 Het blindelings invullen van tien vierkeuzevragen is een binomiaal experiment.
Waarom kun je dit experiment niet goed benaderen met een Normale Verdeling?

4 Bij het gooien met een dobbelsteen is de kans op een zes $\frac{1}{6}$. Je gooit 600 keer en je telt hoe vaak je een zes hebt gegooid. Dit is een binomiaal experiment.

a Welke waarden hebben n en p in dit experiment?

b Je kunt dit experiment benaderen met een Normale Verdeling. Welk gemiddelde en welke standaarddeviatie heeft deze verdeling?

c Gebruik de Normale Verdeling om te berekenen hoe groot de kans is dat je minder dan 80 keer een zes gooit.

11.1 Steekproeven

Steekproeven kunnen voor twee doeleinden gebruikt worden:
- Ter controle van de populatie. Bijvoorbeeld om na te gaan of de kwaliteit van het product op peil blijft.
- Om een uitspraak te doen over de gehele populatie. Bijvoorbeeld over het rekenkundige gemiddelde of over de standaarddeviatie.

Steekproefmethode

Bij de steekproefmethode onderzoekt men een bepaald (klein) percentage van de populatie. De uitkomst wordt vervolgens 'opgeblazen' tot 100% om zo het totaalresultaat te vinden.
De steekproefmethode gaat uit van de 'wet van de grote aantallen': naarmate het aantal waarnemingen groter is, zijn de eigenschappen van de steekproef meer in overeenstemming met de eigenschappen van het geheel.

Voorwaarden voor steekproef

Een steekproef is **representatief** als de volgende voorwaarden vervuld zijn.
- De populatie waaruit de steekproef wordt getrokken is homogeen. Dat wil zeggen: voor het onderzoek op essentiële punten gelijk.
- Er moet sprake zijn van een aselecte (blindelingse) trekking uit de populatie. Dat wil zeggen: ieder element van de populatie moet evenveel kans hebben om in het onderzoek betrokken te worden.
- De steekproef moet voldoende groot zijn.

Waarde van steekproefresultaten

De waarde van de onderzoeksresultaten kun je op drie punten beoordelen:
- *Validiteit*. Een onderzoek is valide als er gemeten is wat men wilde weten.
- *Betrouwbaarheid*. Geeft aan in welke mate de uitspraak naar aanleiding van het onderzoek juist is.
- *Nauwkeurigheid*: Geeft aan welke marges de uitspraken hebben die naar aanleiding van het onderzoek worden gedaan.

Opgaven

1 Geef aan of de volgende stelling juist of onjuist is:
Verhogen van de betrouwbaarheid zal bij een gelijk aantal ondervragingen automatisch zorgen voor een hogere nauwkeurigheid.

2 Geef aan of de volgende stelling juist of onjuist is:
Als de betrouwbaarheid van een onderzoek 90% is, dan zal er, als het onderzoek 100 keer herhaald wordt, er 10 keer een significant andere uitslag uitkomen.

3 Een onderzoeker doet onderzoek naar anorexia bij meisjes tussen de 8 en 12 jaar. Omdat dit een gevoelig onderwerp is, besluit hij om de volgende vraag aan de meisjes tussen 8 en 12 jaar te stellen om te bepalen of er een anorexia-probleem is: 'hoe vaak snoep je in de week'.
Is dit onderzoek valide?

4 Voor een verkiezingsonderzoek naar aanleiding van de gemeenteraadsverkiezingen vraagt een onderzoeker op de wekelijkse markt op welke partij men wil gaan stemmen. Geef minstens twee redenen waarom deze methode van steekproeftrekken niet correct is.

5 Voor een tolweg doet men onderzoek naar het aantal inzittenden (de bezettingsgraad) per personenauto. Van elke vijfde auto die de tolpoort passeert, noteert men het aantal inzittenden.
Is dit een correcte manier van steekproeftrekken? Waarom wel of niet?

6 Bij televisie-uitzendingen is vaak een talrijk publiek aanwezig. Om een beeld te krijgen van de inkomensverdeling in Nederland, neem je uit zo'n zaal met publiek een steekproef van 40 mensen.

a Bedenk twee manieren om uit het aanwezige publiek een goede steekproef te trekken.

b Aan elk persoon in de steekproef vraag je naar de hoogte van zijn of haar inkomen. Krijg je een goed beeld van de Nederlandse inkomensverdeling? Waarom wel of niet?

Met de cd-rom kun je verder oefenen

11.2 Een groot aantal steekproeven

Steekproefverdeling

Om het gemiddelde gewicht van een Elstar appel te vinden, kun je 32 appels wegen en daarvan het gemiddelde gewicht berekenen. Dat steekproefgemiddelde is een goede schatting van het gemiddelde.
Een beter (nauwkeuriger) resultaat krijg je als volgt:

- Neem een aantal steekproeven (bijv. acht steekproeven van vier appels).
- Bereken van elke steekproef het gemiddelde.
- Bereken van al die steekproefgemiddelden weer het gemiddelde.
  Je werkt dan met een **steekproefverdeling**. Dat is een denkbeeldige verdeling van alle gemiddelden van een groot aantal steekproeven van dezelfde omvang.

Een steekproefverdeling heeft de volgende drie eigenschappen:

- In een steekproefverdeling zijn de gemiddelden Normaal Verdeeld.
- Het gemiddelde van de steekproefverdeling is gelijk aan het populatiegemiddelde.
- Als de standaardfout (standaarddeviatie, standaardafwijking) van de populatie σ is, geldt voor de standaardfout s van de steekproefverdeling

  $s = \frac{\sigma}{\sqrt{n}}$ (hierin is n het aantal elementen in de steekproef).

Voorbeeld 1

Een fruithandelaar krijgt acht kisten met appels binnen. Hij neemt uit elke kist een steekproef van vier appels. Van die vier appels bepaalt hij het gemiddelde gewicht.

Steekproef	1	2	3	4	5	6	7	8
Gem. gewicht	195	202	183	175	190	205	180	210

Het gemiddelde van de steekproefgemiddelden is 192,5 gram.
Voor de standaardfout s in de verdeling van de steekproefgemiddelden geldt in dit geval $s = \frac{\sigma}{\sqrt{4}} = \frac{\sigma}{2}$. Hierin is σ de standaardfout van de appelpopulatie.

Voorbeeld 2

Het gewicht van een gevulde koek is Normaal Verdeeld met een gewicht van 80 gram en een standaarddeviatie van 15 gram. Het gemiddelde gewicht per koek van een steekproef van 9 gevulde koeken is Normaal Verdeeld met de standaarddeviatie $\frac{15}{\sqrt{9}} = 5$ gram.

Opgaven

1 Bekijk nog eens voorbeeld 1 op de bladzijde hiernaast. Neem aan dat de standaardfout van de steekproefverdeling 12,6 gram is.

a Leg uit dat de standaarddeviatie van de gewichtsverdeling van de appels 25,2 gram is.

b Een appel wordt 'bijzonder zwaar' genoemd, als hij tot de 5 procent zwaarste appels behoort. Hoe zwaar moet een appel zijn om voor de titel 'bijzonder zwaar' in aanmerking te komen? Gebruik de gegevens van voorbeeld 1.

2 Je koopt (zie voorbeeld 2) een steekproef van 25 gevulde koeken. Het gemiddelde gewicht per koek in die steekproef is natuurlijk 80 gram.

a Bereken de standaarddeviatie van dat gemiddelde.

b Vijftig personen kopen elk 25 gevulde koeken. Al die kopers berekenen het gemiddelde gewicht van een koek. Hoeveel ongeveer zullen een gemiddeld gewicht vinden tussen de 77 en 83 gram?

3 Wat moet je doen met het aantal ondervraagde personen per steekproef om te bereiken dat de uitkomst van de standaardfout van de steekproefverdeling twee keer zo klein wordt als de standaardfout van de populatie als geheel (als overige gegevens gelijk blijven).

4 Van 400 briefopeners is bekend dat het gemiddelde gewicht 50 gram is en dat de bijbehorende standaarddeviatie 8 gram is.
Je neemt 20 keer een steekproef van 9 briefopeners. Bereken de standaardfout van de steekproefverdeling.

5 Van een grote partij schol wordt onderzocht hoe groot het gemiddelde gewicht van een schol is. De onderzoeker neemt 20 steekproeven van 9 vissen. Van elke steekproef bepaalt hij het gemiddelde gewicht per vis. Uit de steekproefverdeling vindt hij de volgende resultaten:

- het gemiddelde van de steekproefverdeling is 230 gram;
- de standaarddeviatie van de steekproefverdeling is 20 gram.

a Hoe groot is de standaarddeviatie van de scholpopulatie?

b Er worden 1000 vissen verhandeld. Hoeveel van deze vissen hebben een gewicht tussen de 200 en 250 gram?

c Welk percentage van de vissen is zwaarder dan 260 gram?

11.3 Steekproeven uit een Normale Verdeling

Steekproefgrootte

Hoe groter de steekproef, hoe kleiner de standaardafwijking van de steekproefverdeling en hoe beter de overeenstemming met de totale populatie. De grootte van de steekproef en de gewenste nauwkeurigheid hangen dus samen.

Voorbeeld 1

Turkse broden hebben een gemiddeld gewicht van 600 gram met een standaardafwijking van $\sigma = 50$ gram. Hoe groot moet je steekproef zijn om er voor te zorgen dat 90% van de steekproefgemiddelden niet meer dan 1% van het werkelijke gemiddelde afwijkt?

Je wilt de standaardafwijking s van de steekproefverdeling zo klein maken dat 90% van de steekproefgemiddelden tussen de 594 en 606 gram ligt. De rechtergrens (606) moet dan liggen bij 95%. In de tabel vind je dat $\Phi(z) = 0,95$ bij $z = 1,65$.
Dus $(606 - 600) = 1,65 \times s$.
Daaruit volgt voor de standaardafwijking s van de steekproefverdeling dat

$$s = \frac{6}{1,65} \approx 3,6364.$$

En je weet dat dit getal gelijk is aan $\frac{\sigma}{\sqrt{n}} = \frac{50}{\sqrt{n}}$. Dus $\frac{50}{\sqrt{n}} = 3,6364$.
En daaruit volgt dat $n \approx 189$.

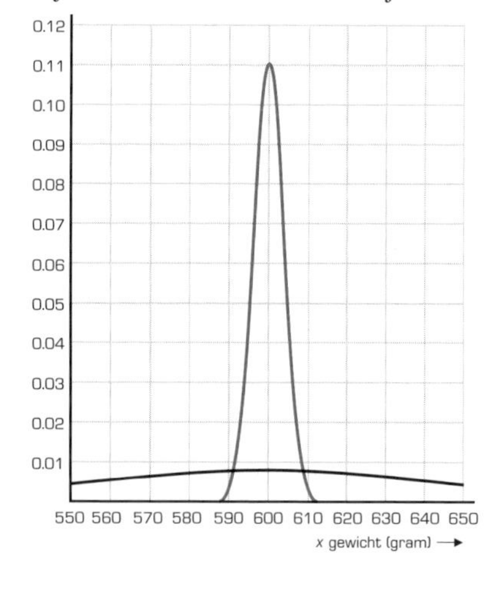

In de figuur zie je de gewichtsverdeling van de broden (breed en laag) en de verdeling van de steekproefgemiddelden (smal en hoog, steekproeven van 189 broden). De steekproefgemiddelden liggen veel dichter bij 600 dan de gewichten van de broden zelf.
Conclusie: Neem je steekproeven van 189 broden, dan zal het steekproefgemiddelde in 90% van de gevallen niet meer dan 1% afwijken van het werkelijke gemiddelde gewicht.

Opgaven

1 Bekijk nog eens het voorbeeld van de Turkse broden op de vorige pagina.

a Hoe groot moet de steekproef zijn om ervoor te zorgen dat 90% van de steekproefgemiddelden niet meer dan 5% van het werkelijke gemiddelde afwijkt?

b En hoe groot wordt de steekproef als 95% van de steekproefgemiddelden niet meer dan 10% van het werkelijke gemiddelde afwijkt?

2 Het gewicht van kippeneieren is Normaal Verdeeld met een gemiddelde van 62 gram en een standaarddeviatie van 15 gram.

a Neem aan dat je de eieren in drie klassen wilt indelen: 'licht', 'middel' en 'zwaar'. Je wilt dit zo doen dat de drie klassen gelijke aantallen eieren bevatten. Waar ligt de grens tussen 'middel' en 'zwaar'?

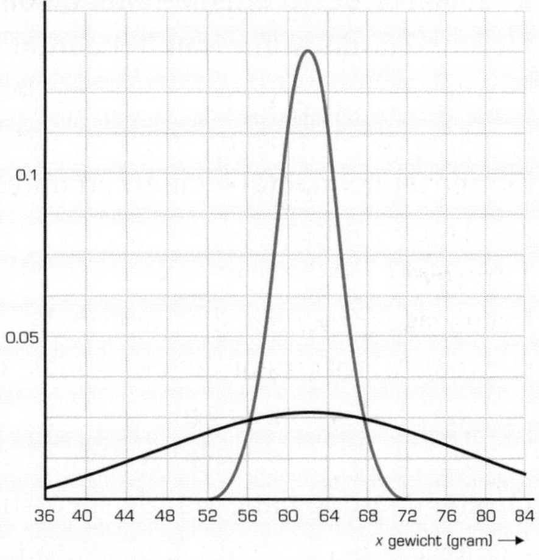

b Hiernaast zie je de grafiek van gewichtsverdeling van de eieren. In dezelfde figuur staat ook de grafiek van een steekproefverdeling. De standaarddeviatie van
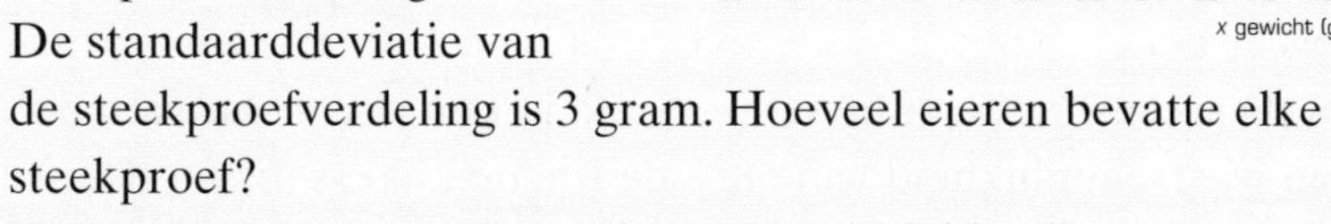
de steekproefverdeling is 3 gram. Hoeveel eieren bevatte elke steekproef?

c Hoeveel procent van de steekproefgemiddelden ligt er tussen de 60 en 64 gram?

d Hoe verklaar je dat de grafiek van de steekproefverdeling niet alleen smaller, maar ook hoger is?

e Hoe groot moet de steekproef zijn om ervoor te zorgen dat 90% van de steekproefgemiddelden niet meer dan 5% van het echte gemiddelde afwijkt?

11.4 Steekproeven uit een binomiale verdeling

Een marktonderzoek waarbij maar twee antwoorden ('ja' of 'nee') mogelijk zijn, kun je vergelijken met een **binomiaal experiment**. Het antwoord 'ja' kun je opvatten als een succes en het antwoord 'nee' als een mislukking. Het aantal 'ja'-antwoorden in de steekproef levert een schatting voor de totale hoeveelheid successen.

Standaardfout (standaarddeviatie) van de succesfractie

Voor de binomiale verdeling Bin(n; p) is het verwachte gemiddelde aantal successen np. Als je zo'n binomiaal experiment een aantal malen herhaalt, is het mogelijke aantal successen (K) ongeveer normaal verdeeld om dit gemiddelde np.
De standaarddeviatie van het aantal successen K is $\sqrt{np(1-p)}$.
Voor de standaarddeviatie van de succesfractie $\frac{K}{n}$ geldt $s = \sqrt{\frac{p(1-p)}{n}}$;
hierin is n het aantal elementen in de steekproef.

Voorbeeld 1

In een steekproef van 600 mensen krijg je 240 keer het antwoord 'ja' op de vraag: 'Hebt u naar de tennisfinale gekeken?' Je schat dan het gedeelte (de fractie) kijkers op $\frac{240}{600} = 0,4$. Dus je schat de succeskans $p = 0,4$.
De standaarddeviatie van de succesfractie is $s = \sqrt{\frac{0,4 \times 0,6}{600}} = 0,02$.

Omdat de succesfractie normaal verdeeld is, kun je concluderen dat met een waarschijnlijkheid van 68% de fractie kijkers tussen de 0,4 – 0,02 en 0,4 + 0,02 ligt. Dat wil zeggen tussen de 38% en 42%.

Voorbeeld 2

Uit een enquête blijkt dat 35% van de ondervraagden het wasmiddel Niwit gebruikt. De standaardfout is 5%. Hoe groot is de steekproef?
Oplossing: De standaarddeviatie van de succesfractie is $s = \frac{\sqrt{p(1-p)}}{\sqrt{n}}$.
Hieruit volgt $\sqrt{n} = \frac{\sqrt{p(1-p)}}{s}$ ofwel $n = \frac{p(1-p)}{s^2}$.
De omvang van de steekproef is dan: $n = \frac{35 \times 65}{5^2} = \frac{2275}{25} = 91$.

Opgaven

1 Het bestuur van een dorpsgemeente wil nagaan welk percentage van de huishoudens in zijn gemeente een huisdier heeft. Uit een steekproef blijkt dat 1750 van de 2500 geënquêteerde gezinnen een huisdier heeft.

- **a** Hoe groot schat je de succesfractie?
- **b** Bereken de standaardfout van het aantal successen.
- **c** Bereken de standaardfout van de succesfractie.
- **d** Bereken tussen welke grenzen het percentage huishoudens met een huisdier ligt. Ga uit van een betrouwbaarheid van 95%.
- **e** En hoe liggen die grenzen bij een betrouwbaarheid van 90%?

2 Vlak voor de verkiezingen geven 820 personen in een steekproef van 1000 stemgerechtigde personen aan dat ze van plan zijn te gaan stemmen.

- **a** Hoe groot schat je het verwachte aantal stemmers (het opkomstpercentage)?
- **b** Hoe groot is de standaarddeviatie van dat percentage?
- **c** Tussen welke grenzen ligt het verwachte opkomstpercentage met een betrouwbaarheid van 95%?

3 Een opiniepeiler zegt dat het opkomstpercentage bij de verkiezingen met een betrouwbaarheid van 90% zal liggen tussen de 76% en de 80%. Hoe groot is de steekproef waarop deze uitspraak is gebaseerd? De volgende vragen leiden in stappen naar het gevraagde antwoord.

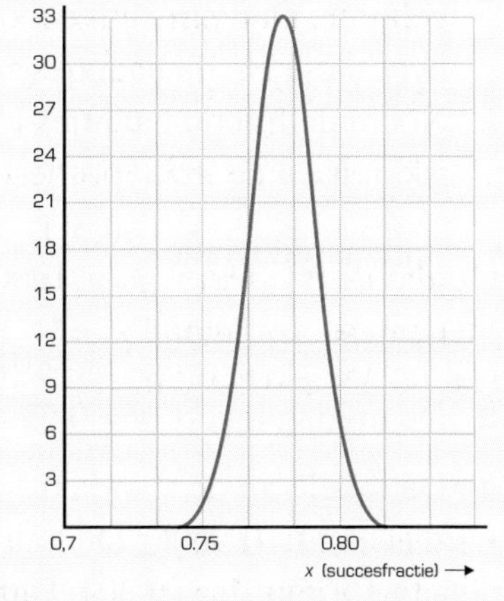

- **a** Bij een steekproef uit een binomiale verdeling is de succesfractie Normaal Verdeeld. Van welk gemiddelde gaat de opiniepeiler uit?
- **b** De z-waarde van 0,8 is $z = 1{,}65$. Verklaar dat.
- **c** De standaarddeviatie van de steekproefverdeling is $\frac{0{,}02}{1{,}65}$. Verklaar dat.
- **d** Bereken nu de grootte van de steekproef.

11.5 Binomiale toets

Een toets kun je gebruiken om na te gaan of een veronderstelling (**nulhypothese**) klopt of dat de situatie anders ligt (**alternatieve hypothese**). Je gaat daarbij als volgt te werk:

1. Formuleer de nulhypothese en de alternatieve hypothese.
2. Bedenk welke toetsingsgrootheid je kunt gebruiken om de hypothese met een meting (steekproef) te toetsen (testen).
3. Voer de meting uit.
4. Bereken of je uitkomst, uitgaande van de nulhypothese, waarschijnlijk is of niet.
5. Als de uitkomst onwaarschijnlijk is (onder het *significantieniveau*), verwerp je de nulhypothese en neem je de alternatieve hypothese aan.

Voorbeeld 1

Een kippenfokker vraagt zich af of er meer haantjes dan hennetjes worden geboren. Een onderzoeker neemt een steekproef van 1000 kuikens en vindt 530 haantjes en 470 hennetjes. De steekproef is een *binomiaal experiment*, maar je gebruikt de normale verdeling.

1. Nulhypothese H_0: er worden even veel haantjes als hennetjes geboren. Dat betekent de kans op een haantje is $p = 0,5$. Alternatieve hypothese H_a: de haantjes zijn in de meerderheid: $p > 0,5$.
2. Noem de fractie haantjes in de steekproef N. Als de steekproef groot is en de nulhypothese geldt, is N normaal verdeeld met standaarddeviatie $\sqrt{\frac{0,5(1-0,5)}{1000}} \approx 0,016$. Normaliseren geeft de toetsingsgrootheid $z = \frac{N-0,5}{0,016}$. Deze z is standaardnormaal verdeeld.
3. De meting levert $N = 0,53$. Dus $z = \frac{0,53-0,5}{0,016} \approx 1,875$.
4. De tabel van de standaardnormale verdeling geeft $\Phi(1,875) \approx 0,9696$. De kans op een z-waarde groter dan of gelijk aan 1,875 is dus 0,0304. Dat is ruim 3%.
5. Of je de nulhypothese verwerpt, hangt af van de grens (**significantieniveau**) die je van te voren hebt gesteld. Heb je de grens gelegd bij 5% dan verwerp je de nulhypothese en neem je aan dat er inderdaad meer haantjes dan hennetjes worden geboren. Leg je de grens bij 1%, dan verwerp je de nulhypothese niet.

Opgaven

1 Terug naar de toets van de kippenfokker. In een steekproef van 600 kuikens vind je 320 haantjes en 280 hennetjes. Neem als significantieniveau 3%. Wordt in dit geval de nulhypothese verworpen?

2 Je gooit 600 keer met een dobbelsteen om te onderzoeken of de dobbelsteen zuiver is of dat de uitkomsten 1 en 2 vaker voorkomen dan je zou verwachten. Je gebruikt een significantieniveau van 2%. De uitkomsten 1 of 2 komen samen 230 keer voor; de uitkomsten 3, 4, 5 en 6 komen samen dus 370 keer voor.

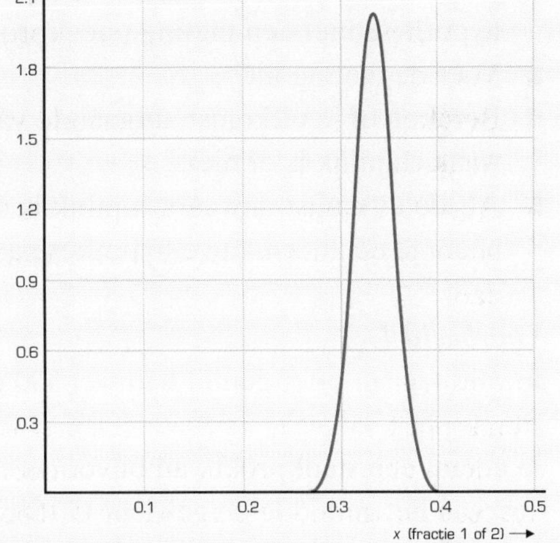

- **a** Wat is in dit geval de nulhypothese en wat is de alternatieve hypothese?
- **b** Welke toetsingsgrootheid ga je gebruiken?
- **c** Is de dobbelsteen zuiver of niet?

3 Fractieleider Roderick van een grote politieke partij beweert dat 80% van de kiezers op zijn partij in hem de ideale fractieleider ziet. Enige fractieleden betwijfelen dit. Zij zijn van mening dat zijn populariteit minder groot is.
Een onderzoek onder 500 kiezers van de betrokken partij levert 370 stemmen voor Roderick op.

- **a** Wat is in dit geval de nulhypothese en wat is de alternatieve hypothese?
- **b** Bereken de toetsingsgrootheid.
- **c** Krijgt de fractieleider gelijk? (Neem een significatieniveau van 4%).

11.6 Toets met een Normale Verdeling

Je kunt een steekproef gebruiken om bijvoorbeeld na te gaan of een opgegeven gemiddelde wel klopt. Ook hierbij werk je volgens de stappen die in de vorige paragraaf zijn genoemd:

1. Formuleer de nulhypothese en de alternatieve hypothese.
2. Bedenk welke toetsingsgrootheid je kunt gebruiken om de hypothese met een meting (steekproef) te toetsen (testen).
3. Voer de meting uit.
4. Bereken of je uitkomst, uitgaande van de nulhypothese, waarschijnlijk is of niet.
5. Als de uitkomst onwaarschijnlijk is, verwerp je de nulhypothese en neem je de alternatieve hypothese aan.

Voorbeeld 1

Je wilt nagaan of er gemiddeld wel 500 gram koffie in een pondspak zit.
Je neemt een steekproef van bijvoorbeeld 36 pakken koffie en bepaalt daarvan het gemiddelde gewicht G_s. Stel dat $G_s = 499$ gram. Je bepaalt ook de standaarddeviatie σ van de steekproef zelf. Neem aan dat $\sigma = 2$ gram. Ga ervan uit dat deze standaarddeviatie voor de totale populatie koffiepakken geldt.

1. De nulhypothese (H_0) is: het gemiddelde gewicht G van de pakken is 500 gram. De alternatieve hypothese is: $G < 500$ gram.
2. De toetsingsgrootheid maak je als volgt:
   Omdat je een grote steekproef hebt genomen, is het steekproefgemiddelde G_s normaal verdeeld. Voor de standaarddeviatie van de steekproefverdeling neem je $\frac{\sigma}{\sqrt{n}}$.
   Dat wordt hier dus $\frac{2}{\sqrt{36}} = 0{,}3333$ gram. Normaliseren geeft $z = \frac{G_s - 500}{0{,}3333}$. Deze z-waarde is standaardnormaal verdeeld.
   De gevonden waarde van G_s levert: $z = \frac{499 - 500}{0{,}3333} \approx -3$.
3. De tabel van de standaardnormale verdeling geeft $\Phi(-3) = 0{,}0013$.
4. De waarschijnlijkheid voor deze z-waarde is dus maar 0,1%.
   Je verwerpt de nulhypothese en concludeert dat er systematisch iets te weinig in de pakken zit.

Opgaven

1 Bekijk nog eens de toets om de inhoud van een pak koffie te controleren.

- Neem aan dat de standaarddeviatie van de gewichtsverdeling van de populatie koffiepakken $\sigma = 4$ gram is.
- Neem weer een steekproef van 36 pakken met een gemiddeld gewicht van 499 gram.
- De nulhypothese is $G = 500$ gram.
- Je verwerpt de nulhypothese als de waarde van de toetsingsgrootheid een waarschijnlijkheid heeft kleiner dan 2%.

Onderzoek of je in dit geval de nulhypothese verwerpt.

2 Op een weg wordt de snelheid van auto's gemeten om na te gaan of er systematisch te hard wordt gereden.
De toegestane maximumsnelheid is 80 km per uur. De snelheden zijn Normaal Verdeeld met een standaarddeviatie van 6 km per uur. Een steekproef van 64 auto's levert een gemiddelde snelheid van 82 km per uur.

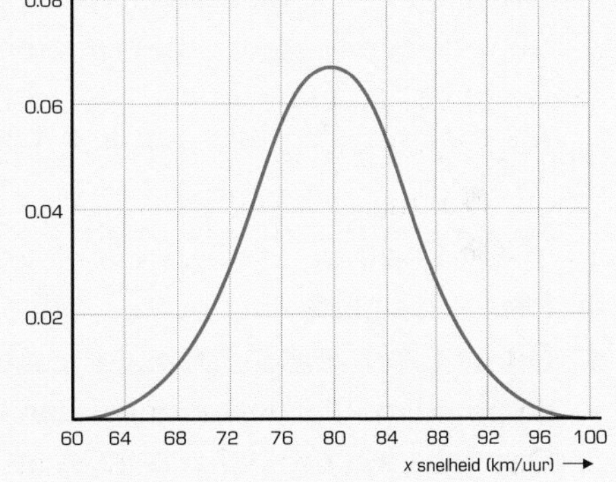

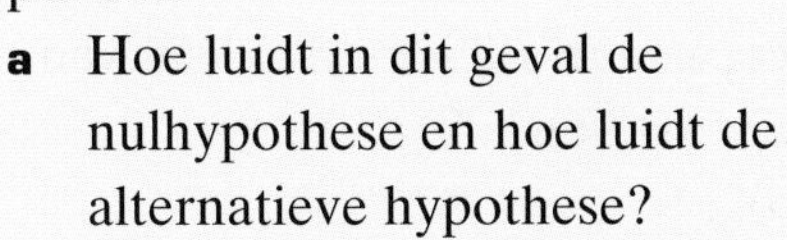

a Hoe luidt in dit geval de nulhypothese en hoe luidt de alternatieve hypothese?

b Bereken de toetsingsgrootheid.

c Ga na of met een significantieniveau van 5% de nulhypothese wordt verworpen of niet.

d Moet je concluderen dat er werkelijk te hard wordt gereden of heb je voor die conclusie niet voldoende reden?

11.7 Significantietoets

Om te onderzoeken of het verschil tussen de succesfracties van twee steekproeven zich laat verklaren door toeval of door echte verschillen, kun je als volgt te werk gaan:

1. Neem uit elk van beide populaties een steekproef. Noem de succesfractie in de ene steekproef p_1 en in de andere p_2.
   De beide steekproeven hoeven niet even groot te zijn.
   Het verschil van p_1 en p_2 is normaal verdeeld.
2. De nulhypothese H_0 is: er is geen verschil, dus $p_1 - p_2 = 0$.
3. Bereken de standaarddeviatie (**gepoolde standaarddeviatie**) van het verschil tussen de succesfracties in de beide steekproeven.
   Je gebruikt daarbij de regel:
   Als X de standaarddeviatie σ_X heeft en Y heeft de standaarddeviatie σ_Y, en X en Y zijn onafhankelijk, dan hebben $X + Y$ en $X - Y$ de standaarddeviatie $\sigma = \sqrt{\sigma_X^2 + \sigma_Y^2}$.
   Voor de eerste steekproef (n_1 elementen, succeskans p_1) geldt
   $\sigma_X = \sqrt{\frac{p_1 \cdot (1 - p_{1)}}{n_1}}$ en voor de tweede steekproef $\sigma_Y = \sqrt{\frac{p_2 \cdot (1 - p_2)}{n_2}}$.
   Dus $\sigma = \sqrt{\frac{p_1(1 - p_1)}{n_1} + \frac{p_2(1 - p_2)}{n_2}}$.
4. Kies een significantieniveau, bijvoorbeeld 5%.
5. Uit de tabel van de normale verdeling kun je afleiden dat 95% van de populatie ligt tussen $\mu - 1{,}96\sigma$ en $\mu + 1{,}96\sigma$.
   Dat volgt uit $\Phi(1{,}96) = 0{,}9750$.
6. Bereken nu de **kritische excentriciteitswaarde** $z = \frac{p_1 - p_2}{\sigma}$.

   Dit getal geeft aan hoeveel standaarddeviaties de gevonden waarde van $p_1 - p_2$ van 0 verschilt. Is dat getal groter dan 1,96, of kleiner dan −1,96 dan ligt het verschil in het 5% uitzonderingsgebied en verwerp je H_0. Je neemt aan dat er dan een echt verschil is tussen p_1 en p_2.

Opmerking: Als je als **significantieniveau** bijvoorbeeld 15% kiest (de **betrouwbaarheid** is dan 85%) , zoek je in de tabel van de Normale verdeling op $\Phi(z) = 0{,}9250$ en je vindt $z = 1{,}44$.
Je verwerpt dan de nulhypothese als de kritische excentriciteitswaarde groter dan 1,44 of kleiner dan −1,44 is.

Opgaven

1 In een steekproef van 150 vrouwen is 65% tevreden over Softy badzeep. In een steekproef van 200 mannen is 60% tevreden. De volgende vragen leiden tot het antwoord op de vraag: 'Is er met een significantieniveau van 10% onder vrouwen een hoger percentage tevreden gebruikers van deze zeep dan onder mannen?'

a De gepoolde standaarddeviatie is $0,0521$. Laat dat zien met een berekening.

b Laat met een berekening zien dat de kritische excentriciteitswaarde 0,96 is.

c Bij significantieniveau 10% moet je eerst oplossen $\Phi(z) = 0,95$. Gebruik de tabel van de normale verdeling en bepaal de z-waarde.

d Beantwoord nu de vraag: 'Is er met een significantieniveau van 10% onder vrouwen een hoger percentage tevreden gebruikers van deze zeep dan onder mannen?'

2 Een reclamebureau wil nagaan welke van twee advertenties de meeste waardering krijgt. In een steekproef van 1000 personen, waarmee advertentie A werd getest, was 6% positief tegenover de advertentie. In een steekproef van 1500 personen, waarmee advertentie B werd getest, was 4% positief tegenover de advertentie.
Is er sprake van een significant verschil tussen beide percentages bij een significantieniveau van 10% (betrouwbaarheid van 90%)?

3 Uit een klantenbestand worden aselect 1000 e-mailadressen gekozen. Deze 1000 adressen worden in twee gelijke groepen verdeeld.
De mail die naar de ene groep ging zorgde voor een respons van 6%.
De variant op de mail die de andere groep toegestuurd kreeg, zorgde voor een respons van 8%. Is het verschil tussen beide responspercentages significant bij een betrouwbaarheid van 95%?

4 De sportschoenfabrikant Nidas heeft een advertentiecampagne gevoerd om een nieuw type schoen aan te prijzen. Voor de campagne is vastgesteld dat van de 1000 (willekeurig gekozen) schoenenkopers er 300 het nieuwe type schoen kenden. Na de campagne bleek dat van de 1200 (willekeurig gekozen) schoenenkopers er 450 het nieuwe type schoen kenden.
Is, uitgaande van 95% betrouwbaarheid, de merkbekendheid gewijzigd?

Φ (z) voor negatieve waarden van z

z	0	1	2	3	4	5	6	7	8	9
–0,0..	0,5000	0,4960	0,4920	0,4880	0,4840	0,4801	0,4761	0,4721	0,4681	0,4641
–0,1..	0,4602	0,4562	0,4522	0,4483	0,4443	0,4404	0,4364	0,4325	0,4286	0,4247
–0,2..	0,4207	0,4618	0,4129	0,4090	0,4052	0,4013	0,3974	0,3936	0,3897	0,3859
–0,3..	0,3821	0,3783	0,3745	0,3707	0,3669	0,3632	0,3594	0,3557	0,3520	0,3483
–0,4..	0,3446	0,3409	0,3372	0,3336	0,3300	0,3264	0,3228	0,3192	0,3156	0,3121
–0,5..	0,3085	0,3050	0,3015	0,2981	0,2946	0,2912	0,2877	0,2843	0,2810	0,2776
–0,6.-	0,2743	0,2709	0,2676	0,2643	0,2611	0,2578	0,2546	0,2514	0,2483	0,2451
–0,7..	0,2420	0,2389	0,2358	0,2327	0,2296	0,2266	0,2236	0,2206	0,2177	0,2148
–0,8..	0,2119	0,2090	0,2061	0,2033	0,2005	0,1977	0,1949	0,1922	0,1894	0,1867
–0,9..	0,1841	0,1814	0,1788	0,1762	0,1736	0,1711	0,1685	0,1660	0,1635	0,1611
–1,0..	0,1587	0,1562	0,1539	0,1515	0,1492	0,1469	0,1446	0,1432	0,1401	0,1379
–1,1..	0,1357	0,1335	0,1314	0,1292	0,1271	0,1251	0,1230	0,1210	0,1190	0,1170
–1,2..	0,1151	0,1131	0,1112	0,1093	0,1075	0,1056	0,1038	0,1020	0,1003	0,0985
–1,3..	0,0968	0,9951	0,0934	0,0918	0,0901	0,0885	0,0869	0,0853	0,0838	0,0823
–1,4..	0,0808	0,0793	0,0778	0,0764	0,0749	0,0735	0,0721	0,0708	0,0694	0,0681
–1,5..	0,0668	0,0655	0,0643	0,0630	0,0618	0,0606	0,0594	0,0582	0,0571	0,0559
–1,6..	0,0548	0,0537	0,0526	0,0516	0,0505	0,0495	0,0485	0,0475	0,0465	0,0455
–1,7..	0,0446	0,0436	0,0427	0,0418	0,0409	0,0401	0,0392	0,0384	0,0375	0,0367
–1,8..	0,0359	0,0351	0,0344	0,0336	0,0329	0,0322	0,0314	0,0303	0,0301	0,0294
–1,9..	0,0287	0,0281	0,0274	0,0268	0,0262	0,0256	0,0250	0,0244	0,0239	0,0233
–2,0..	0,0228	0,0222	0,0217	0,0212	0,0207	0,0202	0,0197	0,0192	0,0188	0,0183
–2,1..	0,0179	0,0174	0,0170	0,0166	0,0162	0,0158	0,0154	0,0150	0,0146	0,0143
–2,2..	0,0139	0,0136	0,0132	0,0129	0,0125	0,0122	0,0119	0,0116	0,0113	0,0110
–2,3..	0,0107	0,0104	0,0102	0,0099	0,0096	0,0094	0,0091	0,0089	0,0087	0,0084
–2,4..	0,0082	0,0080	0,0078	0,0075	0,0073	0,0071	0,0069	0,0068	0,0066	0,0064
–2,5..	0,0062	0,0060	0,0059	0,0057	0,0055	0,0054	0,0052	0,0051	0,0049	0,0048
–2,6..	0,0047	0,0045	0,0044	0,0043	0,0041	0,0040	0,0039	0,0038	0,0037	0,0036
–2,7..	0,0035	0,0034	0,0033	0,0032	0,0031	0,0030	0,0029	0,0028	0,0027	0,0026
–2,8..	0,0026	0,0025	0,0024	0,0023	0,0023	0,0022	0,0021	0,0021	0,0020	0,0019
–2,9..	0,0019	0,0018	0,0018	0,0017	0,0016	0,0016	0,0015	0,0015	0,0014	0,0014
–3,0..	0,0013	0,0013	0,0013	0,0012	0,0012	0,0011	0,0011	0,0011	0,0010	0,0010
–3,1..	0,0010	0,0009	0,0009	0,0009	0,0008	0,0008	0,0008	0,0008	0,0007	0,0007
–3,2..	0,0007	0,0007	0,0006	0,0006	0,0006	0,0006	0,0005	0,0005	0,0005	0,0005
–3,3..	0,0005	0,0005	0,0005	0,0004	0,0004	0,0004	0,0004	0,0004	0,0004	0,0003
–3,4..	0,0003	0,0003	0,0003	0,0003	0,0003	0,0003	0,0003	0,0003	0,0003	0,0002
–3,5..	0,0002	0,0002	0,0002	0,0002	0,0002	0,0002	0,0002	0,0002	0,0002	0,0002
–3,6..	0,0002	0,0002	0,0001	0,0001	0,0001	0,0001	0,0001	0,0001	0,0001	0,0001
–3,7..	0,0001	0,0001	0,0001	0,0001	0,0001	0,0001	0,0001	0,0001	0,0001	0,0001
–3,8..	0,0001	0,0001	0,0001	0,0001	0,0001	0,0001	0,0001	0,0001	0,0001	0,0001
–3,9..	0,0000	0,0000	0,0000	0,0000	0,0000	0,0000	0,0000	0,0000	0,0000	0,0000

Tabel standaardnormale verdeling

Φ (*z*) voor positieve waarden van *z*

Φ(z)

0 z

z	0	1	2	3	4	5	6	7	8	9
0,0	0,5000	0,5040	0,5080	0,5120	0,5160	0,5199	0,5239	0,5279	0,5319	0,5359
0,1	0,5398	0,5438	0,5478	0,5517	0,5557	0,5596	0,5636	0,5675	0,5714	0,5753
0,2	0,5793	0,5832	0,5871	0,5910	0,5948	0,5987	0,6026	0,6064	0,6103	0,6141
0,3	0,6179	0,6217	0,6255	0,6293	0,6331	0,6368	0,6406	0,6443	0,6480	0,6517
0,4	0,6554	0,6591	0,6628	0,6664	0,6700	0,6736	0,6772	0,6808	0,6844	0,6879
0,5	0,6915	0,6950	0,6985	0,7019	0,7054	0,7088	0,7123	0,7157	0,7190	0,7224
0,6	0,7257	0,7291	0,7324	0,7357	0,7389	0,7422	0,7454	0,7486	0,7517	0,7549
0,7	0,7580	0,7611	0,7642	0,7673	0,7704	0,7734	0,7764	0,7794	0,7823	0,7852
0,8	0,7881	0,7910	0,7939	0,7967	0,7995	0,8023	0,8051	0,8078	0,8106	0,8133
0,9	0,8159	0,8186	0,8212	0,8238	0,8264	0,8289	0,8315	0,8340	0,8365	0,8389
1,0	0,8413	0,8438	0,8461	0,8485	0,8508	0,8531	0,8554	0,8568	0,8599	0,8621
1,1	0,8643	0,8665	0,8686	0,8708	0,8729	0,8749	0,8770	0,8790	0,8810	0,8830
1,2	0,8849	0,8869	0,8888	0,8907	0,8925	0,8944	0,8962	0,8980	0,8997	0,9015
1,3	0,9032	0,9049	0,9066	0,9082	0,9099	0,9115	0,9131	0,9147	0,9162	0,9177
1,4	0,9192	0,9207	0,9222	0,9236	0,9251	0,9265	0,9279	0,9292	0,9306	0,9319
1,5	0,9332	0,9345	0,9357	0,9370	0,9382	0,9394	0,9406	0,9418	0,9429	0,9441
1,6	0,9452	0,9463	0,9474	0,9484	0,9495	0,9505	0,9515	0,9525	0,9535	0,9545
1,7	0,9554	0,9564	0,9573	0,9582	0,9591	0,9599	0,9608	0,9616	0,9625	0,9633
1,8	0,9641	0,9649	0,9656	0,9664	0,9671	0,9678	0,9686	0,9697	0,9699	0,9706
1,9	0,9713	0,9719	0,9726	0,9732	0,9738	0,9744	0,9750	0,9756	0,9761	0,9767
2,0	0,9772	0,9778	0,9783	0,9788	0,9793	0,9798	0,9803	0,9808	0,9812	0,9817
2,1	0,9821	0,9826	0,9830	0,9834	0,9838	0,9842	0,9846	0,9850	0,9854	0,9857
2,2	0,9861	0,9864	0,9868	0,9871	0,9875	0,9878	0,9881	0,9884	0,9887	0,9890
2,3	0,9893	0,9896	0,9898	0,9901	0,9904	0,9906	0,9909	0,9911	0,9913	0,9916
2,4	0,9918	0,9920	0,9922	0,9925	0,9927	0,9929	0,9931	0,9932	0,9934	0,9936
2,5	0,9938	0,9940	0,9941	0,9943	0,9945	0,9946	0,9948	0,9949	0,9951	0,9952
2,6	0,9953	0,9955	0,9956	0,9957	0,9959	0,9960	0,9961	0,9962	0,9963	0,9964
2,7	0,9965	0,9966	0,9967	0,9968	0,9969	0,9970	0,9971	0,9972	0,9973	0,9974
2,8	0,9974	0,9975	0,9976	0,9977	0,9977	0,9978	0,9979	0,9979	0,9980	0,9981
2,9	0,9981	0,9982	0,9982	0,9983	0,9984	0,9984	0,9985	0,9985	0,9986	0,9986
3,0	0,9987	0,9987	0,9987	0,9988	0,9988	0,9989	0,9989	0,9989	0,9990	0,9990
3,1	0,9990	0,9991	0,9991	0,9991	0,9992	0,9992	0,9992	0,9992	0,9993	0,9993
3,2	0,9993	0,9993	0,9994	0,9994	0,9994	0,9994	0,9995	0,9995	0,9995	0,9995
3,3	0,9995	0,9995	0,9995	0,9996	0,9996	0,9996	0,9996	0,9996	0,9996	0,9997
3,4	0,9997	0,9997	0,9997	0,9997	0,9997	0,9997	0,9997	0,9997	0,9997	0,9998
3,5	0,9998	0,9998	0,9998	0,9998	0,9998	0,9998	0,9998	0,9998	0,9998	0,9998
3,6	0,9998	0,9998	0,9999	0,9999	0,9999	0,9999	0,9999	0,9999	0,9999	0,9999
3,7	0,9999	0,9999	0,9999	0,9999	0,9999	0,9999	0,9999	0,9999	0,9999	0,9999
3,8	0,9999	0,9999	0,9999	0,9999	0,9999	0,9999	0,9999	0,9999	0,9999	0,9999
3,9	1,0000	1,0000	1,0000	1,0000	1,0000	1,0000	1,0000	1,0000	1,0000	1,0000

1 Rekenen

1.1

1 a 192
b –192
c –192
d 192
e –22
f –22
g 22
h 22

2 a –17
b –7
c –17
d –17
e 7
f –17

3 a 1
b onmogelijk.
c 0
d 0

4 Af te dragen BTW = Ontvangen BTW – Betaalde BTW = € 76 000 – € 47 500 = € 28 500.

5 125 × € 300 = € 37 500.

6 –300 – 50 + 10 = – 340. Schuld aan einde van de week is € 340.

7 Afzet = Omzet / Verkoopprijs = 15 000 / 750 = 20 stuks.

8 Verkoopprijs = Omzet / Afzet = 60 000 / 4800 = € 12,50.

1.2

1 a 1377
b 1377
c 54

2 17,5 × 50 × 4,50 = € 3937,50.

3 (12 + 2) × 8 = 14 × 8 = 112.

4 a (1,80 – 0,60) × 12 : 3 = € 4,80.
b (1,80 – 0,60) × 6 : 3 + 0,60 × 2 = € 3,60.

5 (9 + 6 + 8 + 5) : 7 = 28 : 7 = 4 pakjes.

6 a 160
b 225
c 0,003
d 5300
e 1
f 4,25
g 900
h 4

7 a 99 990
b 99 900
c 1 000 000
d 100

1.3

1 a $\frac{2}{7} = \frac{12}{42} = \frac{8}{28}$
b $\frac{-5}{7} = \frac{10}{-14} = -\frac{15}{21}$
c $\frac{5}{11} = \frac{35}{77} = \frac{45}{99}$
d $\frac{7}{15} = -\frac{-14}{30} = -\frac{-28}{60}$

2 a $6\frac{1}{18}$
b $-1\frac{1}{6}$

3 a $\frac{1}{3}$
b $-\frac{4}{9}$

4 a Fout; $\frac{2}{3} = \frac{3\times2}{3\times3} = \frac{6}{9} \neq \frac{4}{9}$.
b Goed; Teller en noemer gedeeld door 4.
c Fout; $\frac{3}{4} = \frac{4\times3}{4\times4} = \frac{12}{16} \neq \frac{9}{16}$.

d Goed; $0{,}2 = \frac{2}{10} = \frac{1}{5}$.

5 a $-\frac{1}{5}$

b $-\frac{4}{9}$

c $4\frac{6}{7}$

d $2\frac{1}{2}$

6 $2\frac{1}{4} + \frac{3}{4} + 1\frac{1}{4} + \frac{1}{4} = 4\frac{1}{2}$ kratje.

7 $5 - 1\frac{1}{3} - \frac{1}{3} - 2\frac{2}{3} - \frac{1}{3} = \frac{1}{3}$.

1.4

1 a $\frac{22}{35}$

b $3\frac{5}{9}$

c $1\frac{2}{3}$

d $\frac{41}{45}$

2 a $\frac{8}{35}$

b $\frac{4}{7}$

c $2\frac{3}{16}$

d 2

3 a $9\frac{3}{5}$

b $35\frac{7}{15}$

c $\frac{20}{27}$

d $\frac{35}{57}$

4 Belasting = € 2 500.
Dividend = € 3 750.
Bonus werknemers = € 2 500.
Algemene Reserve = € 1 250.

5 a $\frac{2}{21}$ deel.

b $\frac{2}{21} \times 4200 = 400$

6 $\frac{1}{4} \times \frac{1}{3} = \frac{1}{12}$ deel.

1.5

1 a € 98,75

b € 123,45

c € 123,50

d € 95,35

2 a € 70

b € 200

3 a 9

b 9

c 8

d 8

4 a 82,865

b 82,86

c 82,9

d 80

5 a 170 000

b 210 000

6 60,48 miljard; afgerond op miljarden: 60 miljard.

7 450 : 33 = 13,6.
Er kunnen 13 flesjes volledig worden gevuld.

2 Algebra

2.1

1 a $5a + 15$

b $-a - 5$

c $p^3 - 3pq$

d $-3c + 6$

2 a $a^2 - 9$

b $x^2 + 7x + 10$

c $2x^2 + 11x + 15$

d $18a^2 + 27a + 10$

3 a $x^2 + 10x + 25$

b $x^2 + 10x + 25$

c $x^2 - 16$

d $a^2 - 81$
e $p^2 - 36$
f $x^2 + 14x + 49$
4 a *Opp rechthoek = lengte* × *breedte* = $(3 + a)(2 + b)$
b $6 + 3b + 2a + ab$
c *Prijs* = $180 + 40(3b + 2a + ab)$
5 a $O = 22x + 22y = 22(x + y)$
b $W = 5x + 7y$

2.2

1 a $5(a + 4)$
b $8p(p - 3)$
c $-5(a + 3)$
d $(x + 4)^2$
e $6(1 - 2g)$
f $(a + 3)(a - 3)$
g $7(2a + 3b)$
h $(2x + 5)(2x - 5)$
i $-4(4c - 5)$
j $(a + 6)^2$
2 a lengte = $7 + b$; breedte = $5 + a$
b $(a + 5)(b + 7)$
3 a $x = \frac{15}{2 + b}$
b $y = \frac{25}{3 + p}$
c $q = \frac{20}{p + r}$
d $s = \frac{D}{a + b}$
4 a $x - 3$ en $x + 3$
b $a + 4$ en $a - 4$

2.3

1 240 = 40 + 4 × 20 × 2,5 = 40 + 4 × 50 = 240
2 1200 + 0,07 × 14 500 = 475 + 0,12 × 14 500;
1200 + 1015 = 475 + 1740
2215 = 2215 ; klopt.
3 −6 − 5 = −21 + 10
−11 = −11 ; klopt.
4 115 + 125 = 470 − 230 ; klopt.
5 $O = 2Q$
6 $TK = 5 + 20X$
7 a $S_j = 15t$ betekent 15 km per uur.
b Als $t = 0$ (start) is $S_k = 10$; dat is de voorsprong; daarna 7 km per uur, omdat er $7t$ staat.
c $15t = 10 + 7t$; na 75 minuten (1,25 uur).

2.4

1 a $a = -4$
b $x = 4$
c $x = 10$
d $x = 15$
2 a $x = 10$
b $x = 10$
c $x = 10$
d $x = 10$
3 a $x = -5$
b $x = -5$
c $x = -5$
d $x = -5$
4 a $x = 25$
b $x = 25$
c $x = 25$
d $x = 25$
5 a $O = 5Q$
b $4585 = 5Q$
c $Q = 917$
6 a $TK = 3{,}5 + 15X$
b $78{,}50 = 3{,}5 + 15X$
c $X = 5$

7 a $W = 2K + 2 \times 5 \times 8 \times K$ dus $W = 2K + 80K$

b $1148 = 82K$

c $K = 14$

2.5

1 a Van beide kanten $v \times q$ aftrekken.
Linker- en rechterkant verwisseld.

b $q(p - v) = TCK$

c $q = \dfrac{TCK}{p - v}$

2 $q = \dfrac{850\,000 + 250\,000}{90 - 40} = 22\,000$

3 $112\,500 + 75\,000 = 15\,000p$ dus $p = 12{,}50$ euro.

4 $4000 = \dfrac{TCK + 62\,000}{60 - 35}$ dus

$TCK = 38\,000$.
Naast de gegeven kosten nog € 38000 extra; totaal € 100000.

5 $2960 = \dfrac{2\,500\,000}{1450 - v}$

$v = 605{,}41$

2.6

1 a $x \geq 8$

b $x < 11$

c $x > 20$

d $x \geq 1$

e $x > 3$

f Geen oplossing.

2 a $x < -2$

b $x \geq -4$

c $x \geq 2$

d Elk getal is oplossing.

e $x < 1$

f $x \geq 1$

3 a $x \geq -2$

b $x \leq 9$

c $x \leq -2$

d Elk getal is oplossing

e $a \geq -4$

f $x \geq 2{,}4$

4 a $7a > 5(a + 2)$

b $7a > 5a + 10$ dus $a > 5$.

c De breedte is groter dan 5 meter.

2.7

1 a $x = -5; x = 1$

b $x = -6; x = 2$

c $x = 2{,}5; x = -2$

d $x = -1; x = 5$

e $p = -9; p = 6$

f $k = -0{,}5; k = 3$

g $a = 2; a = \frac{2}{3}$

h $s = -1{,}2; s = 5$

2 a $x = -2$

b $x = -\frac{1}{3}$

c Geen oplossing.

d $x = 3; x = -\frac{1}{7}$

e $t = -1{,}8; t = 4$

f $p = 1; p = 0{,}6$

g $s = 2; s = 6$

h Geen oplossing.

3 a $Omzet = prijs \times afzet = (10 - a) \times (90 + 12a)$.

b $10(90 + 12a) - a(90 + 12a) = 900 + 120a - 90a - 12a^2 = -12a^2 + 30a + 900$.

c Als $prijs$ = € 10, is $a = 0$.
Dan is $Omzet$ = € 900.

d $-12a^2 + 30a + 900 = 918$

e $a = 1{,}5$ of $a = 1$.
$Prijs = 10 - 1 =$ € 9 of
$Prijs = 10 - 1{,}5 =$ € 8,50.

3 Lijnen

3.1

1 a $y = -3x + 4$

b $y = -\frac{1}{3}x + 3$

c $y = 2x - 5$

d $y = 7$

e Onmogelijk.

f $y = 2x - 8$

2 a

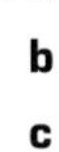

b

c

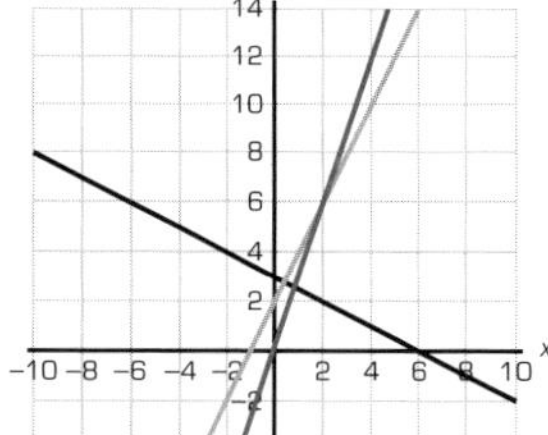

d

e

f

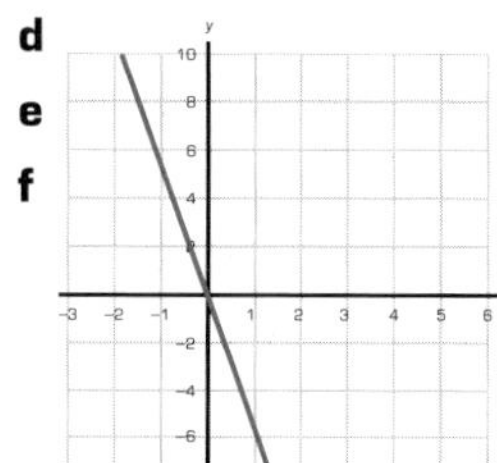

3 a $Omzet = 5Q$.

b

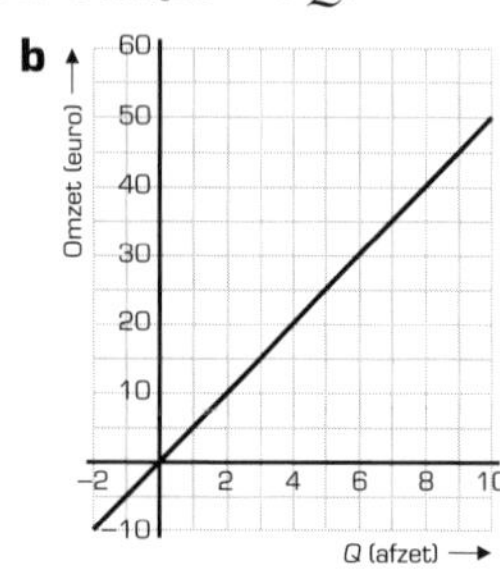

4 a 53 euro.

b € 7.

c Winst = $57Q - 2\,500\,000$. Een rechte lijn vanaf $(0, -2\,500\,000)$.

5 a

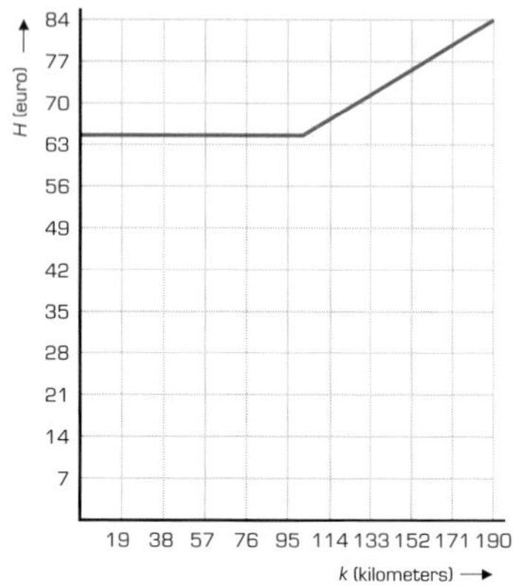

b 165 kilometer.

3.2

1 a $\frac{5}{3}$

b $-0{,}75$

c In het punt $(8, 0)$.

2 a $Omzet = 7Q$ (euro)

b Omdat Q alleen in de eerste macht voorkomt.

c Rechte lijn door O.

d De richtingscoëfficiënt is 7 (= de prijs).

3 a

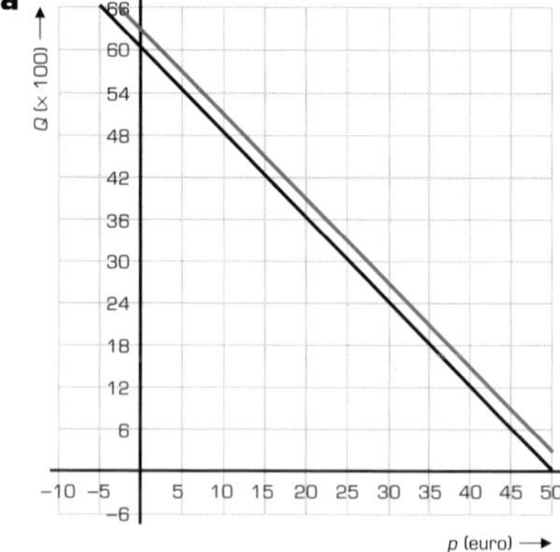

b $-1{,}2$

c $Q_v = -1{,}2 \times 40 + 60 = 12$ dus 1200 stuks.

d $Q_v = -1{,}2P + 63$.

e De *rc* blijft gelijk.

4 a Als de rente stijgt, nemen de investeringen af.

b 9,9985 miljard.

c Verandering in investeringen: 0,05(0,03 – 0,04) × € 1 miljard = –0,0005 × 1 miljard = –500 000 euro.

3.3

1 a $x = 3$ en $y = -1$

b $x = 4$ en $y = 5$

2 a $x = 5$ en $y = 1$

b $x = 5$ en $y = 2$

c $x = 4$ en $y = 1$

d $x = 7$ en $y = 5$

3 a (0, 3)

b (5, 6)

c (5, 5)

d (5, 5)

4 a Als de prijs van de Koerier stijgt, wordt het minder aantrekkelijk abonnee van de Koerier te blijven/worden. Daardoor daalt N_k.

b Als de prijs van de Gazet stijgt, wordt het aantrekkelijk om over de stappen naar de Koerier; daardoor stijgt N_k.

c $N_k = 5280$.

d 0,38%.

e De prijs van de Gazet.

5 a P = € 6.

b € 24 000.

c Twee rechte lijnen die elkaar snijden in (6, 4).

3.4

1 a Produceer x stoelen en y tafels.
De voorwaarden zijn:
$5x + 4y \leq 40$
$10x + 20y \leq 140$
$x \geq 0$ en $y \geq 0$.

b Hoekpunten zijn (0, 0); (8, 0); (4, 5) en (0, 7).

c Zie antwoord b.

d $W = 10x + 20y$

e Bij productie van 4 stoelen en 5 tafels is de winst maximaal.

2 a Koop x fietsen en y tandems.
$400x + 800y \leq 14\,400$
$10x + 12y \leq 240$
$x \geq 0$ en $y \geq 0$
De grenslijnen van het toegestane gebied zijn:
$x + 2y = 36$, $5x + 6y = 120$;
$x = 0$ en $y = 0$.
De opbrengstfunctie is
$O = 15x + 22y$.

b (0, 0); (24, 0); (6, 15) en (0, 18)

c Conclusie: koop 6 fietsen en 15 tandems.

3.5

1 a Er zijn x appelbomen en y perenbomen.
Opbrengst = $50x + 150y$
$20x + 40y \leq 1600$
$5x + 20y \leq 460$
$x \geq 0$ en $y \geq 0$.

b De hoekpunten van het toegestane gebied zijn (0, 0); (80, 0); (68, 6) en (0, 23).

De iso-opbrengstlijn voor opbrengst € 3000 loopt van (0, 20) naar (60, 0).

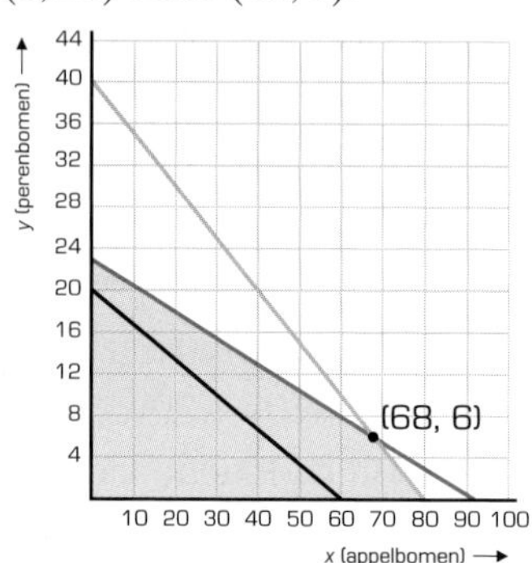

c Bij 68 appelbomen en 6 perenbomen is de maximale opbrengst € 4300.

2 a Er is x ha tarwe en y ha mais.
$y \geq 10$;
$x + y \leq 45$
$x \leq 2y$
Opbrengst = $3000x + 2400y$.

b 

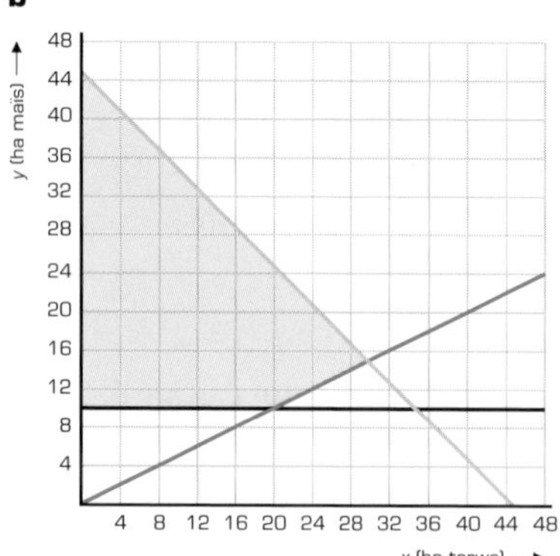

c (0, 10) ; (20, 10) ; (30, 15) en (0, 45).

d Bij 30 ha tarwe en 15 ha maïs is de opbrengst maximaal.

3 a $3x + 2y \leq 240$
$2x + 3y \geq 84$
$x \geq 0$ en $y \geq 0$

b *Opbrengst* = $30x + 18y$.

c $30x + 18y = 1800$
ofwel $5x + 3y = 300$.
De iso-opbrengstlijn gaat door (60, 0) en door (0, 100).
De hoekpunten van het toegestane gebied zijn (0, 28); (16,8; 16,8); (48, 48) en (0, 120).

d Er zijn 48 hondenhokken en 48 kattenhokken.

e De maximale opbrengst is $96 \times 15 + 144 \times 6 = €\,2304$.

4 Functies

4.1

1 a Snijpunt met verticale as is (0, –3)

b 8 fietsen.

c € 285.

2 a

x	0	1	2	3	4
y	–1	1	3	5	7

b

x	–1	0	1	2	3
y	0,5	0	0,5	2	4,5

c

x	0	1	4	9	16
y	0	3	6	9	12

d

x	0	1	2	3	5
y	0	–2	–2	0	10

3 A $\rightleftarrows$ 1
B $\rightleftarrows$ 4
C $\rightleftarrows$ 2
D $\rightleftarrows$ 3

4.2

1 a 0,025 meter.

b $0 \leq W \leq 100$.

c 0,4 meter.

2 Rechte lijn door O en (2, 5).

3 a $TK = 2{,}5Q + 2000$.

b 2,5.

4 a $P = 7$ euro.

b $Afzet = 600$ kg;
$omzet =$ € 4200.

5 a $W = H \times (3000 - 300D)$.

b D is maximaal 10 km;
maximaal 5 km verhuizen.

c Nee; € 500 minder opbrengst per ha.

4.3

1 a (0, 7).

b (3; 2,5).

2 a (0, 8).

b Bergparabool door (0, 0) en (2, 0) met top (1, 0,5).

c Zie antwoord vraag b.

d (1, 8,5).

3 a Grafiek $y = x^2 + 6x$ is dalparabool door (0, 0) en (–6, 0); top is (–3, –9).
Door 7 omhoog te schuiven krijg je grafiek van $y = x^2 + 6x + 7$. Top (–3, –2).

b Grafiek $y = -x^2 - 8x$ is bergparabool door (0, 0) en (–8, 0); top is (–4, 16). Deze 3 omhoog schuiven geeft de tweede grafiek. Top (–4, 19).

c Zie antwoorden a en b.

4 a De rechter grafiek.

b De linker grafiek.

5 a $Omzet = -0{,}2Q^2 + 4{,}5Q$;
$Winst = -0{,}2Q^2 + 4Q - 10$.

b $Q = 10$.

c $P =$ € 2,5 per km.

4.4

1 a 1250 meter.

b 70,6 uur.

2 a Stijgende halve parabool door (–2, 0), (0, $\sqrt{2}$) en (7, 3).

b Stijgende halve parabool door (2, 0), (6, 2) en (11, 3).

c Stijgende halve parabool door (5, 0), (6, 1) en (9, 2).

d Stijgende halve parabool door (0, –5). (–1, 2) en (4, 3).

3 a 35,8 km.

b 400 meter.

4 $Q = 100$.

4.5

1 a (0, 4).

b (0, 4) en (5, 4).

c (2,5; 2,75).

d (0, 4) en (2,5; 2,75).

2 a (0, 5) en (2, 7).

b (0, 2) en (–4, –2).

c (0, 0) en (5, –5).

d (1, 8) en (–1, –8).

3 a $P = 3$.

b $Afzet = 800$ kg. $Omzet =$ € 2400.

c Grafiek Q_v is rechte lijn door (0, 20) en (5, 0).
Grafiek Q_a is rechte lijn door (0, –16) en (2, 0).

4.6

1 a $(x-2)(x-8)=x^2-10x+16$ en $0{,}25\times(x^2-10x+16)$ geeft het gewenste resultaat.
b Minteken voor term met x^2.
c $x = 2$ of $x = 8$.
d Plusjes tussen 2 en 8.
e $2 < x < 8$.

2 a $x > -250$.
b $x < 20$.
c $x < 0$ of $x > 3$.
d $-6 < x < 5$.
e $2 < x < 7$.
f $x < 0$ of $x > 25$.

3 a $Omzet = -5Q^2 + 40Q$.
b *Winst = Omzet – Kosten.*
c $Q = 0{,}35$ of $Q = 5{,}65$.
d Winst als $1 \leq Q \leq 5$.

4.7

1 $x = 0$ geeft bij alle vier functies $y = 0$.
$x = 1$ geeft bij alle vier functies $y = 1$.

2 a $x < -1$ of $0 < x < 1$.
b $-1 < x < 1$, maar $x \neq 0$.

3 a De andere grafiek is van $y = -0{,}5x^3$.
b De andere grafiek is van $y = -0{,}5x^3 + 20$.

4.8

1 a Horizontale lijn door (0, 8).
b

x	0	1	2
TK	11	14	20

c Horizontale asymptoot $y = 8$. Grafiek stijgend door (0, 11).

2 a Maal $1{,}02^2$.
b Maal $1{,}04^3$.
c Maal $1{,}08^4$.

3 a € 2443,34.
b Ruim 14 jaar.

4 € 1157,63.

5 a $K = 500 \times 1{,}08^t$.
b 7 jaar.

6 a 1,04.
b 4%.

7 € 5 128,83.

5 Differentiëren

5.1

1 € 6,60.

2 a Omdat de grafieken rechte lijnen zijn.
b 0,5 en –0,8

3 a $\Delta v = 8$; $\Delta W = 17{,}6$; $\frac{\Delta W}{\Delta v} = 2{,}2$.
b 3,7.
c Tussen $x = 15$ en $x = 22$ is de grafiek steiler dan voor x-waarden tussen 7 en 15.

5.2

1 a $0{,}25 \times 64 + 5 = 21$.
b 4.
c Daar daalt de grafiek.

2 a Linker grafiek: stijgt voor $x < 2$ en daalt voor $x > 2$.
Rechter grafiek: daalt voor $0 < x < 1{,}5$ en stijgt voor $x > 1{,}5$.
b $0 + 0 + 4 = 4$.
c Raaklijnhelling 4.
d $0{,}5 \times 2 + 0{,}5 = 1{,}5$.
e Afgeleide in Q is 0,25.

5.3

1 a 0.

b 0,5.

c $\frac{-2}{x^2}$.

d $2x - 3$.

e $3x^2$.

f $\frac{-6}{x^4}$.

2 a 0.

b $2 - 2x$.

c $\frac{5}{2\sqrt{x}}$.

d $\frac{1}{\sqrt{x}}$.

e $3\sqrt{x}$.

f $4x$.

3 a 0; –6; 1,25; 0,5; 6; 16.

b $y = 2x - x^2$.

4 a Stijgt voor $0 < x < 4$ en daalt voor $x > 4$.

b $f'(x) = -x^2 + 4x$.

c $f'(x) > 0$ voor $0 < x < 4$ en $f'(x) < 0$ voor $x > 4$.

5.4

1 a $y' = -4x^3(2x-1) + 2(1-x^4)$.

b $f'(t) = 1$.

c $y' = \frac{3}{2\sqrt{x}}(1+3x) + 3\sqrt{x} \times (-2)$.

d $y' = \frac{3}{2\sqrt{x}}(1+3x) + 6\sqrt{x}$.

e $y' = \frac{-1}{x^2} + 1$.

f $y' = (2+3x^2)\cdot\sqrt{x} + (2x+x^3)\cdot\frac{1}{2\sqrt{x}}$.

2 a Na 30 uur. Dan is de lengte 0.

b Lengte 8 en breedte 36; opp = 288.

c $O(t) = 10t^2 - \frac{t^3}{3}$.

d 20 uur.

5.5

1 a $12(3x+2)^3$.

b $24x(3x^2+2)^3$.

c $10(2x-1)^4$.

d $\frac{1}{\sqrt{2x-4}}$.

e $4(x^2+x+3)^3(2x+1)$

f $0,5(x^2+x+3)^{-0,5}(2x+1)$.

g $\frac{1}{\sqrt{2x}}$.

h $\frac{-x}{\sqrt{25-x^2}}$.

2 a $(3x+2)^4 + (x-10)\cdot 4\cdot(3x+2)^3\cdot 3$

b $3\sqrt{2x-4}$

c $1,5\sqrt{2x}$.

d $2x(3x+5)^3 + (x^2+7)\cdot 3(3x+5)^2\cdot 3$

3 a $y = \sqrt{25-x^2}$, want daarvan is de afgeleide voor $x = 3$ negatief.

b $y' = 3\sqrt{2x-4}$; $x = 4$ invullen geeft $y' = 6$.

4 Voor $x = 2,5$ is de afgeleide 0.

5.6

1 a $\frac{-2}{(x-1)^2}$.

b $\frac{-1}{(x+1)^2}$.

c $\frac{2x(x+1)-(x^2+1)}{(x+1)^2}$.

d $\frac{(2x+1)-2x}{(2x+1)^2}$.

2 a $1-\frac{1}{x^2}$.

b $\frac{-1}{2x\sqrt{x}}$.

c $\frac{-2}{(2x+3)^2}$.

d $\frac{14}{x^3}$.

3 a $GK'=2-\frac{2200}{x^2}$.

b 33.

c € 132,67.

5.7

1 a $Y'=3X^2-105X+750$.

b $X = 10$ of $X = 25$.

c $Y(10)$ is max = 3500; $Y(25)$ is min = 1812,5.

2 a Dubbele haakjes wegwerken.

b $h = 3{,}92$ of $h = 12{,}94$ (vervalt, want onrealistisch).

c $h = 3{,}92$.

d 1056,3 cm^3.

5.8

1 a $GK=0{,}5X^2-2X+4$.

b $MK=1{,}5X^2-4X+4$.

c $X = 0$ of $X = 2$.

d 2.

2 a $GK=\frac{p^2}{6}-1{,}5p+6$.

b $p = 4{,}5$.

c 2,625.

d MK heeft de grafiek met de laagste 'top'.

3 a $0 < Q < 31{,}6$.

b $Q = 31{,}6$.

4 a $Omzet=-5P^2+60P$

b Nee; gem opbrengst = $-5P + 60$; marginale opbrengst = $-10P + 60$.

c $P = 6$.

6 Procenten

6.1

1 a 50.

b 0,11 (vanuit Eke gezien); 0,125 (vanuit Puck gezien).

c 15.

2 a

Jaar	Jaar-resultaat	Cumulatief
1	200 000	200 000
2	155 000	355 000
3	110 000	465 000
4	65 000	530 000
5	20 000	550 000

b Nooit

c Nee.

3 3 Jaar.

6.2

1 a 28,8.

b 75,6.

c 1,26.

2 a 15.

b 2,95.

c 890.

3 a 54.

b 2,16.

c 142 800.

4 a 5%.

b 67%.

c 125%.

5 a 0,12.

b 0,89.

c 2.

6 a 0,72.
b 96,9.
c 8,73.

6.3

1 a 1,50.
b 8,40.
c 108.
2 a 83,30.
b 737,80.161

c 9 758.
3 a 1,60.
b 67,06.
c 562,02.
4 1595,80.
5 3,19.

6.4

1 a 93,75.
b 156,25.
c 250.
2 a 60.
b 100.
c 160.
3 62,95.
4 65,88.
5 17,65%.
6 11,70.
7 44,63.

6.5

1 a 50%.
b 25%.
c –14%.
d 7%.
2 a 5%.
b –10%.
3 1,5%.
4 –10%.
5 –1%.

6.6

1 a –2,5.
b Elastisch product.
2 a –1,33.
b Elastisch product.
3 a –0,1.
b Inelastisch product.
4 –15%.
5 18.
6 671 600.
7 874 800.

6.7

1 a 1,25.
b Substitutiegoed.
2 a 0,5.
b Substitutiegoed.
3 a –0,16.
b Complementair goed.
4 19 500.
5 0,2.

6.8

1 a 2.
b Luxe product.
2 a –0,4.
b Inferieur product.
3 a 0,6.
b Noodzakelijk product.
4 768 gram.
5 150 sigaretten.

7 Kengetallen

7.1

1 4.
2 8.
3 0,6.
4 252 miljard
5 0,33.

7.2

1 a 3 000 000.
b 2.
c 0,25.
d 0,5.
2 a 750 000.
b 2.
c 0,2.
d 0,4.
3 a 0,08.
b 100 000.
c Stijgt van 0,08 naar 0,10.

7.3

1 a 0,6.
b 0,625.
c 1,04.
d 0,4.
e 0,375.
2 5.
3 0,07.
4 0,8.

7.4

1 a 125.
b 120.
c 146,51.
d 97.
2 a 110 %.
b 13,7% gedaald.
c Exact gelijk.
d 65% gestegen.
3 4,6% gestegen.
4 110,3.
5 25 000.
6 a 117,5.
b 106,38.
c $1{,}175 \times 1{,}064 = 1{,}250$.

7.5

1 a Prijsindexcijfer in 2005 = 122.
Prijsindexcijfer in 2006 = 129.
b 5,74%.
c Lager.
2 a 25%.
b 106.
c 114,8.

8 Interest-berekeningen

8.1

1 a 3.
b 360.
2 a $-\frac{1}{2}$.
b $22\frac{1}{2}$.
3 a 504.
b 25 650.
4 a 440.
b 9800.
c 6200.
5 a 5.
b 527.
c 27 950.

8.2

1 a 2.

b 511.

2 a $\frac{1}{2}$.

b $31\frac{3}{4}$.

3 a −2.

b $-21\frac{1}{2}$.

4 1,04.

5 12%.

8.3

1 a 120.

b 720.

2 a 3.

b 236.

3 a 1,75.

b 51,75.

4 836,10.

8.4

1 a 1,02.

b 5858,30.

c 858,30.

2 a 992,13.

b 192,13.

3 a 49 178,78.

b 15 000.

c 19 671,51.

4 a (iets) minder dan 18 jaar.

b (iets) minder dan 12 jaar.

c 9 jaar.

8.5

1 a 1,02.

b 858,30.

2 a 1,07.

b 1934,30.

3 7733,96.

4 € 11 884,21.

5 € 3492,91.

6 1528,96.

7 Maakt niet uit.

8.6

1 10 135,14.

2 5000 nu accepteren.

3 1929,70.

4 3355,04.

5 10 203.

8.7

1 a 12 000.

b 30 743,54.

2 a 3756,85.

b 2556,85.

c

Jaar	Begin	Annuïteit	Interest	Afschrijving	Eind
1	15 000	3 756,85	1 200	2 556,85	12 443,15
2	12 443,15	3 756,85	995,45	2 761,40	9 681,75
3	9 681,75	3 756,85	774,54	2 982,31	6 699,44
4	6 699,44	3 756,85	535,96	3 220,89	3 478,55
5	3 487,55	3 756,85	278,28	3 478,57	

3 a 10 917,73.

b 9417,73.

c

Jaar	Begin	Annuïteit	Interest	Afschrijving	Eind
1	50 000	10 917,73	1 500	9 417,73	40 582,27
2	40 582,27	10 917,73	1 217,47	9 700,26	30 882,01
3	30 882,01	10 917,73	926,46	9 991,27	20 890,74
4	20 890,74	10 917,73	626,72	10 291,01	10 599,73
5	10 599,73	10 917,73	317,99	10 599,74	

4 a 1,06.

b 1897,34.

c 9000.

d 10 897,34.

5 a 1,03.

b 34 892,20.

c 12 000.

d 46 892,20.

9 Statistiek

9.1

1 a 2,25.
b –5,46.
c –0,429.
d 0.
2 0,3904
3 a 114,72 en 121,28
b 5,7%.
c Waarschijnlijk lager, want vervoer/vakantie is de op één na hoogste stijger.

9.2

1 a 0.
b 0.
c Geen modus.
d 1.
2 Gedeeltelijk zinvol. BBP geen maatstaf voor koopkracht.
3 a 0,5.
b 0.
c 0.
d 0,5.
4 Gemiddelde 5,25; mediaan 1,5.
5 a € 2840.
b € 2000.
c € 1500.
d Het modale salaris.

9.3

1 1e kw: –14; 2e kw: –0,5; 3e Kw: 17,5.
2 a Coördinaten van de punten van de curve zijn : (10, 4.7), (20, 10.5), (30, 17.3),(40, 25), (50, 33.7), (60, 43.4), (70, 54.4), (80, 67), (90, 82.2), (100, 100).
b Curve B ligt dichter bij de diagonaal dan curve A.
c Deze curve komt nog dichter bij de diagonaal.

9.4

1 a 35
b 101
c 7
d 6
2 1,6
3 a € 960 miljoen.
b € 4495 miljoen.
c Omdat er een zeer groot verschil is tussen de laagste en de hoogste waarde.
4 a Ja, een toename.
b Ja, toename.
c Geen duidelijke trend in de variatiebreedte.
d Meer kans op allerlei ziekten. Daardoor hogere ziektekosten en lager vrij besteedbaar inkomen.

9.5

1 a 4,2; 0; 0; 9,76.
b –0,5; –0,5; geen modus; 2,638.
2 a Nee.
b 1170; 11 811.
c Nee. Var aantal doden 39 422,9; var aantal gewonden 1545 915,25.
Omdat ook andere factoren een rol spelen dan de omvang van de bevolking.

10 Kansverdelingen

10.1

1 a Ruim 68%

b 95,4%

c 2,3%

2 Mannen en vrouwen vormen twee deelpopulaties. Er ontstaan daardoor twee toppen.

3 a De rechterfiguur is breder; $\sigma_2 \approx 10$ gram.

b De kans op een kuipje met sterk afwijkend gewicht is bij Extra groter.

10.2

1 a 2500 = gemiddelde + 2 × standaarddeviatie.

b 0,9772.

c 1 – 0,9772 = 0,0228. Dus 2,28%.

d 97,72 – 50 = 47,72%.

2 a $1000 = \mu - 0{,}5\sigma$; dus $z = -0{,}5$.

b 30,85% weegt minder dan 1000 gram.

c 100 – 30,85 = 69,15%.

3 a 84,13%.

b 15,87%.

c 68,3%.

10.3

1 a 1646.

b 411.

c Ruim 6645 uur.

2 a 254 gram.

b 15,87%.

c 19,15%.

d De grafiek wordt breder en lager.

e 25,14%.

f 12,93%.

3 a In voorraad zijn de maten 53 t/m 59 cm; 52 cm valt daarbuiten.

b Ook 60 cm is niet in voorraad.

10.4

1 a $n = 6$ en $p = 0{,}25$.

b 0 rood, 1 rood,…, 6 rood.

c 0,1318.

d 0,1780.

2 a 90.

b $\frac{1}{6}$.

c Bin(90, $\frac{1}{6}$).

d Ongeveer 15.

3 a P(succes) = 0,25; P(mislukking) = 0,75.

b $n = 10$ en $p = 0{,}25$.

c 0,1877.

4 a Je doet 10 maal hetzelfde Bernoulli-experiment.

b $n = 10$ en $p = 0{,}5$.

c (4, 6) en (6, 4).

10.5

1 a 25,9%.
b 5,4%.
2 a $\mu = 5$ en $\sigma = 1,94$.
b 5.
c 9,9%.
d 22,1%.
3 Omdat $np = 2,5 < 5$.
4 a $n = 600$ en $p = \frac{1}{6}$.
b $\mu = 100$ en $\sigma = 9,1$.
c 1,2%.

11 Steekproeven en toetsen

11.1

1 Onjuist.
2 Juist.
3 Nee.
4 (1) Geen goede steekproef uit de bevolking. (2) Mogelijkheid tot sociaal (on)gewenst antwoord.
5 Ja; elke auto heeft dezelfde kans in de steekproef te komen.
6 a (1) Door lootjes te trekken uit een vaas. (2) Door een aselecte greep uit de stoelnummers.
b Nee; geen goede steekproef.

11.2

1 a σ steekproefverdeling = $0,5 \times \sigma$ appelgewichten.
b Ruim 234 gram.
2 a 3 gram.
b Ongeveer 34 personen.
3 Een vier keer zo grote steekproef nemen.
4 $\frac{8}{3}$ gram.
5 a 60 gram.
b Ongeveer 321 vissen.
c 30,9%.

11.3

1 a 8.
b 3.
2 a 55,5 gram en 68,5 gram.
b 25.
c 49,1%.
d Hogere percentages vlak bij het midden.
e 64 eieren.

11.4

1 a 0,7.
b 22,9.
c 0,0092.
d Tussen 68,2% en 71,8%.
e Tussen 68,5% en 71,5%.
2 a 82%.
b 1,21%.
c Tussen 79,6% en 84,4%.
3 a 0,78.
b $\Phi(z) = 0,95$ geeft $z = 1,65$ en dat moet horen bij de fractie 0,8.
c $1,65 \times \sigma = 0,80 - 0,78$.
d 1169 personen.

11.5

1 Nee.
2 a H_0: De steen is zuiver; $P(1 \text{ of } 2) = \frac{1}{3}$.

H_1: De steen is onzuiver;
$P(1 \text{ of } 2) > \frac{1}{3}$.

b $z = \dfrac{f - 0,3333}{\sigma} = \dfrac{\frac{230}{600} - 0,3333}{0,0192} = 2,604$

c Onzuiver.

3 a H_0: $p = 0,8$.
H_1: $p < 0,8$.

b $z = -3,35$.

c Nee; de fractieleider heeft ongelijk.

11.6

1 Nulhypothese niet verwerpen.

2 a H_0: $\mu = 80$ km per uur.
H_1: $\mu > 80$ km per uur.

b $z = 2,67$

c Nulhypothese wordt verworpen.

d Ja, er wordt systematisch te hard gereden.

11.7

1 a $\sqrt{\dfrac{0,65 \times 0,35}{150} + \dfrac{0,6 \times 0,4}{200}} \approx 0,0521$.

b $z = \dfrac{0,65 - 0,6}{0,0521}$.

c $z = 1,65$.

d Nee.

2 Nee, er is geen verschil.

3 Niet significant.

4 Ja, de merkbekendheid is gewijzigd.

Trefwoorden

Trefwoorden